一生使える！プロカウンセラーの

# 傾聴の基本

keicho no kihon

心理学博士
古宮 昇

SOGO HOREI PUBLISHING CO., LTD

傾聴の基本

目次

# I 傾聴の基本



# II 私たちの心の成り立ち

# III 傾聴に必要な3つの特徴

# IV 傾聴のしかた

# V 難しい場面の対応

# I

# 傾聴の基本

# 1 なぜ傾聴が大切か

## 孤独な現代人は聴き上手を求めている

「現代は人と人との関係が希薄になった」とよく言われます。人とのつながりがあった昔とは違い、今の世の中ではみんなが孤独を感じながら生きています。

私のゼミに所属する学生は、「私、寂しいのはイヤだ！　人から好かれて楽しく生きたい！」と思ったそうです。そこで彼女は、「好感を持つタイプと持たないタイプ」を卒業論文で調べることにしました。そして、たくさんの大学生たちに「あなたはどんな人に好感を持ちますか？」とアンケートして回りました。

まず多かったのが「話が上手な人、面白い人」という答えでした。しかし、それよりずっと多かったのは、「話をよく聴いてくれる人」という答えでした。

みんな、自分のことを話したいのです。そしてわかってほしいのです。人との関係が希薄になった断絶社会のなかでは、みんなが「わかってほしい」「関心を持ってほしい」と思っています。聴き上手になると、とても貴重な存在になります。

どういった話し方をすればわかってもらえるのか。それを学ぶ「話し方教室」は、ずいぶん前から存在します。ビジネスの世界でもプレゼンテーション力を磨くセミナーがあちこちで開かれており、これも、自分の話すことを人にわかってもらう力を高めるためのものです。

話をするなんて幼稚園児だってできることですが、相手に伝わるよう上手に話すには練習が必要なのです。大勢の人がそれを理解し、プロに教わることで話す力をつけています。

一方で、「聴き方教室」はなかなか耳にしません。なぜ聴き方は教わらないのでしょうか。人の話を聞くことは誰でも簡単にできるからでしょうか？

もちろん、そんなことはありません。聴き方教室が少ないのは、傾聴の大切さをわかっていない人が多いからです。

しかし、昨今この風潮は変わりつつあります。私は傾聴の講演やトレーニングをよく依頼されますが、定員を超える多くの参加希望者が集まっています。傾聴の大切さを理解し、また、傾聴には練習が必要であることを知っている人たちが増えているようです。
では、はじめに傾聴がなぜ大切なのかを見ていきましょう。

## 傾聴ができると人間関係が良くなる

家庭、職場、友人同士など、あらゆる人間関係は聴き方で良い方向に変わります。
まず、あるご夫婦を例に考えてみましょう。

例

### 寂しい奥さん

ある年配の女性は、日々寂しさを感じていました。彼女はご主人ともっと話をしたいのですが、彼女が話しかけても、ご主人の目は新聞から離れません。ご主人が新聞を読みながらお茶をズズッとすすると、彼女はカチンと来ます。「そんな下品な音を立てて飲まないで！」と怒ってしまい、ご主人は「おれはこうして飲みたいんだ！」とブスッとする。そんな口ゲンカとなるパターンがずっと続いていました。

奥さんは「お茶をズズッとすすらないで！」と言っていますが、本当はお茶の飲み方が気に入らなくて怒っているのではありません。彼女が怒るのは、「私のことを大切にしてくれていない」と感じ、傷ついているからです。

関心を向けて話を聴いてくれることが「大切にされている」と感じるために重要なのに、ご主人はちゃんと話を聴いていないのです。

だからといって、ご主人に悪気があるわけではありません。それどころか、ご主人は奥さんの話を聴いているつもりなのです。奥さんが話している言葉は聞こえているからです。

しかし、傾聴とは相手の言葉を聞くことではなく、相手の伝えたいことをなるべく相手の身になって共感し、理解したことを言葉で返す営みを指します。このご主人は奥さんの言葉をただ聞いているだけで、傾聴はできていないのです。

では、このご主人が奥さんの話を「聴く」にはどうすればいいでしょう？

まず、ご主人は新聞を置くことが大切です。そして奥さんの言葉に耳を傾けながら、奥さんが何を伝えたいのか、何をわかってほしいのか、どんな気持ちなのかを、できるだけ奥さんの身になってわかろうとすることが大切です。その態度が伝われば、奥さんの怒りはぐっとおさまり、夫婦の会話も増えていくことでしょう。

なお、夫婦関係における会話の重要性はデータでも証明されています。

夫婦の会話が多いほど、妻の結婚生活への満足度がアップすることがわかりました。統計的には、平日の夫婦の会話が16分間増えれば、夫の月収が10万円アップに匹敵するほどの妻の満足度増大につながります。夫婦の会話の時間は、それほど大切なのです。

また妻にとっては、夫の経済力よりも、夫からの心の支えのほうが結婚の満足度に3倍も大きな影響を持つこともわかりました。

会話によって満足感を与え、パートナーの心を支える上でも傾聴は役に立つことでしょう。

## 仲たがいには傾聴がカギ

先ほどのご夫婦と同様、仲たがいをする人々の中には、ある共通した感情が生じています。それは、「相手は私のことをわかってくれない」「私の思いを大切にしてくれない」という気持ちです。

人が他人を責めたり攻撃したりするのは傷ついているからであり、根っこには「自分は傷ついているから助けてほしい」という気持ちが潜んでいるのです。これは夫婦関係だけではなく、親子でも同僚でも友だちでも同じです。

こうした「わかってくれない」「大切にしてくれない」という不満は、上手に話を聴いてもらうことで軽減されます。傾聴ができれば、周りの人はあなたに好感を抱き、信頼してくれるようになるでしょう。人間関係における不要なゴタゴタを避け、人とよりよくつながることができるようになるはずです。

職場の人間関係を例にとって考えましょう。

「自分のことを受け入れてほしい」「大切に思ってほしい」「わかってほしい」。

部下は上司に対してそうしてほしいと思っています。それが得られないと感じたとき、部下は心を閉ざし、正直に話さなくなるでしょう。さらに、要求がましくなったり、否定的、反抗的になったりするかもしれません。

反対に、上司が部下のことを受け入れて大切に思い（受容と尊重）、部下の思いをなるべく本人の身になって理解し（共感）、その思いを伝えることができれば、部下は心を開いて本音を話せるようになります。思いが伝わることで職場の人間関係がより良くなり、部下も本来の力を発揮しやすくなるでしょう。上司を信頼できる風通しの良い職場であれば、都合の悪いことでも正直に報告しやすくなりますから、ミスや事故の予防にもつながるはずです。

また、恋愛コンサルタントが教えてくれたことですが、男女ともにモテるタイプは聴き上手であることが大切なのだそうです。

かつて大手の結婚相談所で、異性と仲良くなる会話術の実習講座を担当したことがあります。異性との出会いは緊張するものですから、上手に話すことは難しいですよね。受講生は、日ごろから異性との会話に苦手意識を持っていました。

講座の初め、初対面どうしの男女でおしゃべりをしていただきました。やはりみなさんとても下手で、会話も気まずく盛り上がりませんでした。

こんなとき、私はまずおしゃべりの手本をして見せ、参加者のみなさんに会話テクニックをひとつずつ練習してもらいます。するとたった1時間足らずのうちに、みなさんものすごく上達されますから、見ていたスタッフもその激変ぶりにビックリしています。

私が手本として行うのは、聴き上手になることです。人はみんな、自分のことをわかってほしいものです。聴き上手になると、相手の「わかってほしい」という欲求を満たすことができます。すると相手は楽しい気持ちになり、会話もはずみます。あなたは信頼され、相手と仲良くなることができるのです。

## 傾聴は人を助けることができる

人を助ける仕事は、どんな種類のものでも相手の気持ちを思いやることが大切です。

福祉や医療といった人と深く関わる仕事は、ただ事務的に作業をすれば済む、身体を治せば済む、というものではありません。好き嫌いへの配慮、真心、思いやりなど、気持ちの部分でも寄り添うことが必須です。

教育においても同じです。私は大学教員ですが、知識を機械的に学生へ伝えるのではなく、学生と教員との人間関係を築くことが大切だと感じています。教育とは、先生が学生の空っぽな頭に正解を注ぎ込むことではありません。先生という人間との交流を通じ、学生は多くを吸収していくのです。

誰かを助けたいなら「この人は私のことをわかってくれる」「この人なら私のことを大切にしてくれる」と相手に感じてもらうことが大切です。そのような関わり方ができる人こそ、援助のプロといえるのではないでしょうか。

だからこそ人を助ける職業に就いた人には、相手の気持ちを相手の身になって理解し、その相手を尊重する「傾聴」が必要なのです。相手は「自分のことをわかってほしい」と思っていますから、気持ちをわかってくれる聴き手は好感を抱かれ、信頼されます。

ですから、傾聴ができると援助の力がアップします。人は人間関係で傷つき、人間関係で癒されるのです。

私は、日米でのべ5000人以上のカウンセリングにあたってきました。みんな、深刻な悩みを抱える人たちです。彼らに対し、カウンセラーは何をしているのでしょうか。私がプロ・カウンセラーとしてもっとも中心的に行っているのは、実は傾聴です。傾聴は悩みを解決するためのアドバイスではありません。何かを教えるのではなく、彼らが経験してきたこと、思っていること、感じていることを教えてもらうのです。

傾聴の力がつくにつれ、カウンセラーとして聴き手に援助できることも増え、私の仕事は発展していきました。

能力のあるプロ・カウンセラーによる傾聴は、聴き上手な一般の人たちが行う傾聴とはレベルが違います。しかし、プロではない方でも、聴き上手になればなるほど、苦しむ人の心の支えになることができるでしょう。

## 傾聴すると自分が成長する

傾聴によって相手の気持ちや考え、経験を深く知ると、自分の人生もより豊かになります。自分が一生のうちにできる経験の量を超え、人の経験から学ぶことができるからです。たとえその相手が自分よりずっと年下で人生経験の少ない人であっても、自分とは違った考えを持つ他人の話を聴くことが学びになります。

また、プロ・カウンセラーの間ではよく知られていることですが、カウンセリングをすると、カウンセラー自身の心の問題や痛みが明らかになることがあります。カウンセラーと同じ問題に苦しむ人や、カウンセラーの心の痛みを刺激するような人が来談したときです。

こうした機会を前向きに活かして自分の問題に取り組めば、自分を高め、人生をさらに良くすることができます。これはカウンセリングに限ったことではありません。人の話を真摯に聴く行為によって、自分自身が成長するきっかけを得ることができるのです。

# 2 「聞く」と「聴く」はどう違う？

## 「聞く」と「聴く」（傾聴）の違い

誰もが「人の話を聞くことぐらいできている」と思っているでしょう。話を聞くことは、子どものころからずっとしてきたわけですから。私たちは毎日人と会話をし、相手の話を聞き、自分が言いたいことをちゃんと伝えることができています。

では、なぜ今さら傾聴なんてことに注目する必要があるのでしょうか？　話を「聞く」と「聴く＝（傾聴）」の違いをお伝えします。

普段の会話でも、私たちは話し手の言葉を聞き、内容を理解しています。

**話し手「今日は雨ね」**
**あなた「うん」**

という具合。これで十分ですよね。

しかし、時には十分ではないかもしれません。

傾聴とは、相手の言葉を聞き、文字通りの意味を理解することではありません。話し手の考えや気持ちを、できるだけ相手の身になって、ひしひしと、ありありと想像しながら一緒に寄り添うことです。

あなたが話をするときにも、単に事実を伝えたくて話すのではなく、気持ちをわかってほしくて話すことがあるのではないでしょうか。

先ほどの例に戻って気持ちまで掘り下げてみましょう。

話し手が「今日は雨ね」と言ったのは、単に天候を叙述しているだけでしょうか。ひょっとしたら、これから出かけるのがおっくうだということを伝えたいのかもしれません。

その場合、おっくうさを想像して、その理解を言葉で返すのが傾聴です。

**話し手　「今日は雨ね」（おっくうそうな表情と声の感じ）**
**あなた　「出かけるのがおっくうなの？」**
**話し手　「そうなのよ。荷物も重いのに、いやだわ……」**

でもひょっとしたら、最近買ったオシャレな傘をやっと使えるからうれしいのかもしれません。

**話し手　「今日は雨ね」（明るい表情と声の感じ）**
**あなた　「うれしそうだね」**
**話し手　「うん。やっとあのキレイな傘を持っていけるわ♪」**
**あなた　「うれしいね！」**

人と話をするときは言葉尻だけを捉えず、気持ちを分かち合ってこそ、仲が近くなります。傾聴とは、単なる言葉のやり取りではないのです。

## 傾聴には高度な能力が必要

傾聴とは、話し手が表現していること、伝えたいことを、できるだけ話し手の身になって理解し、理解したことを言葉で返すことです。

このように短く言ってしまうと簡単そうに感じるかもしれません。しかし、傾聴にはとても高度な能力が必要です。プロ・カウンセラーである私も、「これで傾聴は極めた」という到達点には一生かかっても至ることはできないと思っています。傾聴にはどこまでも上達の余地があるのです。

本書では、まず第Ⅱ部で人間の心の成り立ちについて解説します。傾聴を深く理解し、実践できるようになるには、基本的な心の仕組みについて理解しておく必要があります。

第Ⅲ部からは、傾聴の根本となる（1）話し手のことをなるべく話し手の身になって共感すること、（2）そのままの話し手を大切に感じて受容すること、そして（3）傾聴をじゃまする聴き手自身の心のわだかまりを解消する、の3点について学んでいきます。

第Ⅳ部では、傾聴の具体的な技法を紹介します。ただし、傾聴の本質はテクニックではありません。聴き手が話し手へ真摯な思いを持ち、自身もリラックスできていることが大切です。それを踏まえた上で、相手が話しやすいような場をつくるための応答の仕方、質問の仕方を身につけましょう。

また実際に傾聴を始めると、「話し手が沈黙してしまう」「本音を話してくれない」など、話を聴くことが困難な場面も多々あります。そこで、最後の第Ⅴ部ではそれぞれの状況をどう理解し、どう対応すればよいかについて解説します。

さて、次のページからの第Ⅱ部は人間の心の成り立ちについてのお話です。

私は人間の心を、誰の心にもある４つの強烈な心理的衝動に分けて理解しています。それは「自己実現を求める衝動」「無条件の愛を求める衝動」「『自分を表現したい』と求める衝動」「『傷つきたくない、変わりたくない』と求める衝動」です。

それではまず、第Ⅱ部第１章「自己実現を求める衝動」から学んでいきましょう。

# II

# 私たちの心の成り立ち

1

# 自己実現を求める衝動

## 自己実現を求める衝動と自己治癒力

植物を育てたことはおありでしょうか？　植物を育てるときには、適度な日光、水、養分、空気、気温を整えますよね。

でも、もしかすると、「育てる」という言い方は正しくないかもしれません。なぜなら、私たちが行うのは生育に必要な環境を整えることだからです。人間が根や茎を引っ張って伸ばすわけではなく、適切な環境さえあれば、その植物の本来の時期に本来のペースで、その植物らしい根を広げ、葉を出し、花を咲かせ、実がなります。その植物らしい姿へと、みずからの命の力によって育っていくからです。

植物が備える成長の力は、命ある存在がすべて持っている本質的な力だと思います。人間に発現したその力が自己実現を求める衝動です。

では、自己実現を求める衝動は私たちに何をもたらすのでしょうか？　それを学ぶ上で、まずは体の自己治癒力について考えます。

私は骨髄ドナーになったことがあります。腰のあたりに注射針を80回ぐらい刺して、骨髄液を少しずつ抜き取る手術を受けました。手術は全身麻酔でなされたので苦痛はまったくなく、入院生活も快適でした。採取された骨髄液は、遠くで待つ見知らぬ患者のところへ即座にヘリコプターで運ばれていきました。

今、私の体に注射の跡はもうありません。針やメスを使う手術ができるのは、自己治癒力のおかげです。私たちの体には、「傷つき」を癒し修復する力を備えているのです。

私たちの体は、このような驚異的な働きに満ちています。例えば内蔵は、自律神経によって私たちが意識することなく働き続けてくれています。また、特定のビタミンやミネラルが必要になると、私たちの体は今までに食べたことのあるすべての食品群の中から、今の自分にぴったりの食品を探しあてます。すると、自然とその食品を食べたくなります。

妊娠した女性のなかには、コーヒーを飲めなくなったり、人工添加物の入った食べ物を食べられなくなったりする人がいます。新しい命を身ごもったときは、健康を維持しようとする力が一層働き、有害なものを敏感に感じ取ることができるようになるのでしょう。

同じ自己治癒力は心にもあります。それが、自己実現を求める衝動です。

人間は自身の心に適した環境に置かれると、自己実現の力が徐々に湧き上がってきます。すると、その力が心の痛みを癒し、矛盾を解決し、本来の自分らしさを発揮して生きていけるようになります。

## 自己実現を求める衝動の表れ方

自己実現を求める衝動は、どんな表れ方をするのでしょう?

それは、「もっと良い自分になりたい」、「自分らしく生きたい」という気持ちとして表れます。また、「もっと楽しく充実した人生にしたい」「もっと苦しみを減らして喜びを増やしたい」という強い欲求にもなります。さらには、「もっと上達したい」とか「もっと学びたい」、という気持ちにもつながります。

発達過程にある乳幼児には、自己実現を求める衝動がわかりやすい形で表れています。乳児は生まれてしばらくすると手足をバタバタと動かします。ただ動かすこと自体がうれしいようです。これは、「もっと動かせるようになりたい」「自分の力をもっと使いたい」という欲求の表れです。

次に「はいはい」を始めます。ベッドの中で何もしなくてもおっぱいがもらえる生活は快適なはずですが、それだけでは嫌なのです。自分の力で這えるようになりたいのです。そして「はいはい」ができるようになると、家具や壁に手をついて、一生懸命に立ち上がろうとします。

人間は進化の過程で四足歩行をやめましたが、直立二足歩行するようになり、さまざまな困難に見舞われることになりました。腰痛、肩こり、痔はすべて直立二足歩行の弊害です。また、誰だって何かにつまずいて倒れたことがあるでしょう。二本足で歩くと脚も疲れます。直立なんかしたために、人間はそれらの苦痛を経験することになったのです。

それでも赤ちゃんは立ち上がろうとします。それは、「昨日できなかったことを今日はできるようになりたい」という、成長へのあくなき欲求からくる努力なのです。

立ち上がれた赤ちゃんは、次に歩こうとします。弱い脚で重い体を支え、よたよたと一生懸命に歩こうとするのです。ボテッと転び、「わーん」と泣くこともしばしばあります。それでも、歩く練習を繰り返します。

「自己実現を求める強烈な衝動があなたにはある」と言われても、ピンと来ないかもしれません。でも、あなたが歩けるのは赤ちゃんのときのこの衝動のおかげなのです。

困難に挑戦して歩く力を得る、その過程を乗り越えてきたからあなたは歩けるのです。ベッドで横になったまま世話をしてもらえる快適な環境から、飛び出したくなったのです。自分の脚で歩き、走れるようになりたかったのです。

あなたが今歩けるのは、あなたが「もっと成長したい」という強い衝動を持っていることの証明にほかなりません。

## スポーツと自己実現を求める衝動

オリンピックは世界中で人々の関心をくぎ付けにします。

なぜでしょうか？

それは、選手たちが「もっとよい記録を出したい」「今度は勝ちたい」「もっと美しい演技をしたい」と必死でがんばっている、その姿があるからでしょう。そういう選手の衝動は、実は私たちの誰もが持つ自己実現を求める衝動と同じものです。

夏の高校野球にも、お正月の駅伝にも同じことがいえます。「一試合でも多く勝ちたい」「あのピッチャーを打ちたい」「もっと早く走りたい」。そうしてがんばる姿は私たちの心を揺さぶります。そして、甲子園で勝った選手たちがガッツポーズをして全身で喜びを表しているとき、駅伝で優勝したチームがみんな抱き合って喜ぶとき、彼らは自己実現の強烈な喜びの絶頂にいるのです。

私たちがスポーツ選手の敢闘ぶりに感動するのは、自分の中にある自己実現を求める衝動が彼らのそれと共鳴するからでしょう。

もし自己実現の衝動がなければ、なぜスポーツ選手たちが競技をがんばるのかを私たちは理解できないはずです。なぜなら、スポーツはあまりに非合理的な行為だからです。

スポーツに打ち込んだって、圧倒的大多数の人はそれで高い学歴を得られるわけでも生活費を稼げるわけでもありません。それどころか、ケガはするしお金も使うし、損ばかりです。たとえトップ層の選手になれたとしても安泰ではなく、たくさんの失敗や敗北を重ねます。そういう視点からは、彼らのがんばりは無駄なことに見えるでしょう。

しかし、スポーツ選手たちの努力は決して無駄ではありません。それは「もっと良くなりたい」という激しい衝動を充足させるための努力であり、私たちも彼らを見てその意味を感じられるからです。

自己実現を求める衝動はすべての人が持っていますから、その表れは世の中のいたるところにあります。学校のクラブ、勉強、各種の講座やセミナー、受験、留学、結婚、妊娠と子育て、カウンセリングなどはすべて、「もっとよい自分になりたい」「もっとよい人生にしたい」という私たちの強い願いから生まれる行為です。あなたが今この本を読んでいるのも、「もっと学びたい」「問題を解決したい」「もっとよい人生にしたい」というような、自己実現を求める願いがあるからですよね。

## 成長すること自体の喜び

工場などで単純作業をするアルバイトについて、大学生たちは「退屈でつまらない」と不平を言います。同じことの繰り返しに飽きるのです。その作業は、何かを学ぶとか、できなかったことができるようになるというような、自己実現の喜びが感じられないからです。

成長に向けて努力するのは、成長することが立派だからではありません。新しいことを学んだり、昨日できなかったことができるようになったり、成長自体が私たちにとって喜びだからです。

野球部でがんばる高校生がいるとします。しかし、彼は野球に打ち込めば打ち込むほど、失敗の危険に直面します。大事な試合で補欠になったり、やっと出た試合でエラーをしたり、チャンスで打順が回ってきた際、チーム全員の「何とかしてくれ」という祈りを裏切って凡打となったり、先輩・後輩との人間関係でもめたり……。

一方で成長の喜びを求めない高校生は、失敗の少ない毎日を過ごしています。勉強をがんばるわけでもなく、クラブにも入らず、打ち込めることもなく、学校が終わったら家でダラダラとテレビを見たりゲームをしたりして過ごします。彼らは失敗の危険に直面することがほとんどありません。

では、失敗することなく過ごす、やる気のない高校生活のほうが幸せなのでしょうか？その答えは、教師なら誰でも知っているでしょう。クラブに打ち込む生徒のほうが、失敗を避けて過ごす生徒よりも充実した毎日を送っているのです。

仮にもし、親が野球部をやめさせたら、どうなってしまうでしょうか？部活動に打ち込むことはある意味ではとても無駄なことです。野球部でがんばる高校生の圧倒的大多数は、それで進学ができるわけでも就職ができるわけでもなく、それどころか経済的にも進学にも損だからです。

もし、野球に打ち込む生徒の親がそのことを指摘し、「野球なんかしても無駄だから、そんなものやめて勉強しなさい」と部活動をやめさせたとしたら、それは彼にとってとても辛いことでしょう。なぜなら、「もっと野球がうまくなりたい」と昨日の自分を超えようとがんばるチャンスを失ってしまうからです。そして、彼にとって努力の意味が感じられる対象は野球であり、勉強ではないのです。

私たちにとって、成長のチャンスを失うことは耐えがたい苦痛です。自己実現を求める衝動はそれほど強烈なものなのです。

ＭＬＢで記録をつぎつぎと塗り替えたイチロー選手が、「打ち方は毎年変えています」とインタビューで語っていました。彼はすでに数々の偉大な記録をつくっているわけですから、そのままの打ち方でずっとプレーすべきだと思ってしまいますが、彼は常に進化を目指して努力し、変わり続けているのです。

また、日本人として初めて世界ランク1位になったプロゴルファー選手は、極めて長期のスランプに苦しんだことがありました。彼女はその原因について、「外国人選手が大きな体でボールを遠くに飛ばすのを見て、私ももっと飛ばそうと無理なスイング改造に挑戦したからです」と語っていました。結果は伴いませんでしたが、日本のトップゴルファーも、さらに上を目指して挑戦を続けたのです。

一流のスポーツ選手に共通しているのは、いつも進化を目指して変わり続けていることです。きっとどんな分野でも、一流の人は上を目指し続けるものなのでしょう。

## 自己実現には失敗の可能性がつきもの

自己実現を求める衝動に関して大事なのは、「自己実現の喜びは失敗の危険を冒してこそ得られる」ということです。

私の義理の弟は40代の健康な男性でしたが、ある朝、ベッドのなかで息絶えているのが発見されました。彼は前の晩もいつも通り元気に会社から帰宅し、いつも通り安らかに眠りにつき、しかしそのまま目覚めることがなかったのです。

あなたが目覚めた今日の朝も、彼のように目覚めることができなかった人たちが世界中にたくさんいたはずです。

そのなかで、あなたは目覚めることに成功しました。ほかにも、すでに多くの成功をおさめているはずです。もしあなたが今日外出していたとしたら、服を着ることに成功し、おそらく目的地を見つけることにも成功し、無事に帰宅することにも成功したということです。仮に電車で通勤していたならば、駅まで行くことに成功し、正しい電車に乗ることにも、職場に到達することにも成功したということです。

ところが、あなたは数々の成功体験を重ねたにもかかわらず、朝起きたとき、職場に着いたときに強烈な自己実現の喜びを爆発させ、ガッツポーズをすることはなかったはず。なぜでしょうか？　それは、失敗するとは思っていなかったからでしょう。朝目覚めることも職場に行けることも当然だと思っていたから、成功しても大きな喜びを得られなかったのです。

仮に、あなたが職場のオフィスに到達したのが人類史上初の快挙だったとすればどうでしょう。しかも、あなたは過去、何度も通勤に失敗し、「次こそ絶対に到達してやる！」と体力づくりの専門家を雇ってチームを結成していたとします。そして苦しいトレーニングの末、やっとオフィスに到達したとすれば、さぞ強烈な自己実現の喜びが得られたことでしょう。

## 失敗の可能性に直面することが必要

自己実現の喜びを味わうためには、失敗する可能性に直面し、失敗の恐怖を乗り越えて挑戦することが必要なのです。

スポーツ選手が喜びの涙を流すのは、無残に敗北する可能性があったからです。その危険に挑戦し、壮絶な努力のすえ勝ち取った栄冠だからです。失敗の恐怖があってこそ、成長の喜びが得られるのです。

次に、自己実現の喜びに関連する実話をご紹介します。

例

## 立ったままパンツをはきたかった女の子

知人の若いご夫婦を私のカウンセリングの師匠が訪ねたときのこと。そのお宅には3歳の女の子がいました。女の子は床に座れば自分でパンツをはくことができたのですが、あるとき、「私も大人のように、立ってパンツをはきたい」と思ったようで、両手にパンツを持ち、立ったままそのパンツをはこうとし始めました。

ところが、その子は筋力も平衡感覚も未発達で、立ったまま片足を上げてパンツをはくのは至難の業でした。何度やっても失敗し、そのうち顔を真っ赤にし始めました。

その間、若い母親は部屋の片隅でニコニコと見守るだけでした。そうして女の子は小一時間かけて、大人のように立ったままパンツをはくことができたのでした。それは、苦労が大きかっただけに、その子にとって大きな自己実現の喜びの体験となったはずです。

このとき、師匠にはショートケーキが出されていました。苦闘の後でお腹が空いた女の子は、それを見て「私もケーキをちょうだい」と言いましたが、もうケーキはありませんでした。そこでお母さんが「そばボーロならあるけど、それでいい？」と尋ねると「うん」とうなずき、女の子はそばボーロをおいしく食べたのでした。

もし仮に、母親が「自分の力で挑戦したい」という女の子の気持ちを理解せず、「座ってはきなさい！」と叱りつけたり、子どもに代わってパンツをはかせたりしていたとしたら、どうでしょうか。女の子は、「自分の気持ちをわかってもらえない」「大切にしてもらえていない」と感じたはずです。

そして、母親が「ケーキはないけどそばボーロでいい？」と尋ねたときにも、「イヤだ！私もケーキが欲しい！」と駄々をこねていたかもしれません（このことについては、つぎの第2章で再び考えます）。

## 親が失敗の可能性を取り上げてはいけない

失敗の可能性を乗り越えて成功するからこそ、自己実現の喜びを感じることができます。自己実現を目指して挑戦を繰り返し、挫折を乗り越え、初めて成功する喜びが生じるのです。ですから、子ども自身が挑戦すべきことがらを親が代りにやってしまったり、子どもが失敗しないよう親が先回りして助けてしまったりすると、子どもは成功しても喜びが感じられませんし、成功体験による自信にもなりません。

次の例を考えてみましょう。

例

### 過保護な親

親は、子供を保護し、安全を守らなくてはなりません。火の恐ろしさを知らない子どもがやけどをしたり火事を起こしたりしないよう、危険から守るのは親の責務です。

しかし、子どもが自分でできることを親がしてしまったり、「あれをしてはいけません、これをしてはいけません」と子どもを萎縮させたり、子どもが挑戦したがっているのにそのチャンスを取り上げてしまったりと、自己実現のチャンスを奪ってしまうことは過保護になります。

ひとつ間違えれば火事になるので火の扱いは慎重でなければなりません。子供を火に近づけないことも親自身は「子どものためだから」と思っているかもしれません。しかし、過保護な親の心の底には、「子どもから必要とされたい、頼られたい」「自分が価値ある人間だと感じたい」という欲求があることも多いものです。

子供のためを思ってやったとしても、結果として子供の成長を親が阻害してしまうのは、親自身の愛情飢餓感が一因となっています。つまり、親の方に愛情飢餓感があり、子どもの関心を集めないと寂しくて仕方がないのです。そして、心の奥底で自分のことを価値の低い人間だと感じています。それ故、子どもから必要とされることによって自分の価値を感じようと必死になるのです。

親自身に自信がなく、他人に依存せざるを得ないほど、子どもまで同じように育ってしまうような関わり方をしてしまいがちです

## 過保護に育てられた子ども

過保護な親から子どもは「あなたは能力がないから、親の私が必要です」というメッセージを受け取ります。こういうメッセージは、子どもの成長に大きな悪影響をおよぼします。自信がなく他人に依存せざるを得ない、不安を抱きやすい性格になりかねません。

学校や会社に行けない、やる気がない、自信がない、何のために生きているのかがわからない――。このような悩みを抱える人は、自己実現の欲求が満たされていない可能性があります。自分の道を自分で開き、自分のしたいことに挑戦し、失敗の危険を冒し、自分の人生を自分らしく生きる――。こうした自己実現のチャンスを子どもの頃から奪われ続け、その苦しみを心に抱えているのです。

「自分の力でやってみたい」「チャレンジしたい」という強い願いを親から理解されず受け

入れてもらえないのは、とても辛く寂しいことです。

また、過保護な親は、表面的には子どものために献身的に世話をします。すると、子どもは親に対して怒りを感じる理由が見つからないので、反抗できません。それでも、「自己実現したい」という願いをないがしろにされたことの怒りは存在しており、それは心の奥底で押し殺されているのです。

往々にして、そんな子どもはいわゆる「良い子」になります。ただ、学校で優等生になるような良い子であっても、生きる強さには欠けていることがあります。

一方、親に対し怒りを感じることができる子どもはどうでしょうか。不良になることも多々ありますが、生きるたくましさは持っています。一旦は不良になっても、思春期を超えて大人になると、善良な市民として社会生活を営むことが多いものです。

ともかく、子どもが失敗しないよう親が先回りをする過保護な教育は、子どもの心をひどく傷つけるのです。

ただし、もしもあなたがここまで読んで、「親が過保護だったから自分は傷ついたし、不安を抱きやすく、自信もやる気もない人間になった」と思っているとしたら、わかっていただきたいことがあります。

それは、あなたは親の過保護な教育によって大切なものも得ている、ということです。また、あなたが傷ついたことにあなたの非はまったくありませんが、その傷つきを解決し、過保護な親から得たものを活かして成長するかどうかは、あなたの責任です。そして、それを助けるためにプロ・カウンセラーやセラピストといった心の専門家がいます。

## 自己実現を求めないと人生は退屈になる

自己実現の喜びを味わうには失敗の危険を冒さなければなりませんが、こうした行動には恐怖をともないます。そのため私たちは、失敗の危険を避けるため、自分自身に制限をかけてしまうことがあります。「私にはこんな大それたことはできない」「自分みたいな者がこんな光栄な役に就くなんて、恐れ多い」と自分に思いこませることでチャンスから身を引き、失敗を避けようとします。

本当にしたくないから断ったり、本当に欲しくないから求めなかったりするのは自分を大切にする上でとても重要です。しかし、失敗する恐れによって本当にしたいこと、本当に欲しいものをあきらめてはいないでしょうか。成長のチャンスを前に尻込みしてしまっては、人生の喜びも充実感も減ってしまいます。

失敗を避け続け、成長しないで生きていくのが最大の失敗なのです。

単位を取る目的でレポートやテスト対策はこなしても、単位にならない勉強はしようとしない大学生はたくさんいます。授業を通じて本を読む機会があったとしても、単位に必要な本しか読みません。彼らは、「必要最小限の努力で単位を取ろう」という態度で授業に臨んでいるのです。

こういった態度は、大学の勉強をつまらないものにします。私たちの欲求の本質、すなわち「成長を求める」ことをしていないからです。

もっとも、私たちは自分にとって大切ではないことにはやる気が出ないものです。誰だってそうです。大学の勉強で成長を求めない学生にとって、大学での勉強は本当にしたいことではありません。また、たくさん学ぶことが、自分にとって大切なことと具体的にどうつながるかも見えていません。

同様に、「給料がもらえる最低限の仕事しかしない」という会社員もいます。「もっと会社に貢献しよう」「もっと世の中のためになろう」と積極的に取り組むことなく、仕事をなるべく減らし、給料だけもらおうとします。この態度が仕事をつまらなくしているのです。彼らにとって、与えられた職務は大切なことではありませんし、それが自分の大切なことにどう役立つかも見えていません。

成長や貢献を求めず、「見返りがあるならいいけど、そうでなければがんばらない」という態度でいることは、生きることをつまらなくします。

もちろん、より少ない時間と労力ですべきことを効率的にこなそうとするのはとても大切なことです。しかし、**生きていく過程で成長や貢献のチャンスを見出すことなく、なるべくラクをして最大のトクをしようという態度で生きると、生きる意味も自己実現の喜びも乏しい人生になります。**

やりがいを持ってイキイキ取り組む大学生は、単位や成績のためではなく新しい知識を身につけるために勉強をします。充実感を持って働く会社員は、「会社のためや世の中のためになりたい」と願い、みずから努力を続けます。

## 私たちは深い部分で自己実現を望んでいる

自己実現を求める衝動は、命あるものに内在する根本的で激しい衝動です。そして自己実現は、すべての人が魂のレベルで望んでいることなのだと私は思っています。

ですから私たちは、自己実現を精いっぱい目指すことができていないと、胸の深くに空虚感と悲しみを抱えながら生きるようになってしまいます。具体的には、次のような生き方をしている場合です。

- **人の役に立つことを通じ自分の可能性を開発しようとしているのではなく、お金のためだけに働いている。**
- **その場限りの楽しいことやラクなことしかしない。**
- **「人に悪く思われたくない」と気にするあまり、「自分はこれをしたい」「自分はこうなりたい」といった純粋な欲求を無視している。**

このような生き方を続ければ、人生の意味を感じられなくなり、生きることが退屈でつまらなくなってしまいます。そして多くの人が、胸に抱える空虚感、悲しみ、退屈感をマヒさせるため、ワイワイ騒いだり、さまざまなエンターテインメントに時間とお金を使ったりしています。もちろん、人間に休息は必要です。しかし、飲み屋やパチンコ、競馬、スポーツ観戦といった娯楽が世の中にあふれているのは、人々がいかに退屈さを抱えて生きているかを表しているようにも思えます。

## 人の幸せを願う気持ち、意味の希求

自己実現を求める衝動には、これまで学んできた「もっと良い人生を生きたい」「もっと成長したい」「心の痛みや傷を癒やしたい」という願いに加えて、より広範囲の願いも含まれています。

人への愛も自己実現を求める衝動に含まれると私は考えています。それは、「人に幸せになってほしい」という願いです。人の幸せを願い、そして「愛したい」と願う気持ちは、私たち人間が本質的に持つ強烈な欲求なのです。

ユダヤ人医師であるヴィクトール・フランクルは、ナチスに捕えられ強制収容所に入っていました。彼は自書『夜と霧』のなかで、「人間は意味を見出してこそ生きられる」と主張しています。

例えば、妻を亡くして悲しみに暮れる男性がいたとします。しかし、「ぼくが妻より長生きしたことで、妻には配偶者を失う苦しみを味わわせずに済んだ」と妻に先立たれたことに意味を見出せば、苦しみに耐えて生きていく理由ができるかもしれません。

私は、意味の希求も、自己実現を求める衝動の一側面だと見なしています。

さて、私たち人間が持つ特に強烈な衝動の２つ目は、無条件の愛を求める衝動です。次の章でその衝動について学びましょう。

# 2 無条件の愛を求める衝動

## 『桃太郎』が親子に伝えるメッセージ

無条件の愛とは、どういったものでしょうか。

それは、「あなたがああだったら大切に思うけど、こうだったらあなたを拒否する」という条件付きの愛ではありません。自分のことを、ありのままに大切にされ、理解されることです。この無条件の愛を、私たちは強烈に求めています。

子どもの頃、特に親に対して、私たちは無条件の愛を激しく求めました。それは、勉強ができるから愛してもらえるとか、言う通りにするから親に認めてもらえるとか、そういうものではありません。この父と母の子供である――。ただそれだけで世界で一番大切にされ、理解され、受け入れられる。そういう親からの無条件の愛を、子どものころの私たちは激しく求めていたのです。

昔話には人間についての知恵が詰まっています。人間の本質を表すよう、語り継がれる過程で自然に変化を加えられているのです。だからこそ人をひきつけ、現代まで残っているのでしょう。

そこで、童話『桃太郎』から、子どもが求める親の愛について、そして、人間の成長と自己実現について、大切なメッセージを読み解いてみましょう。

桃太郎は、「どんぶらこ、どんぶらこ」と川を流れてきた桃から生まれます。

この誕生シーンからは、「赤ん坊は人間がつくったわけではなく、天から授かったもの」というメッセージを読み取ることができます。子どもが大切な宝物であるといっそう感じられますよね。

そして桃太郎が生まれたとき、おじいさんとおばあさんはたいそう喜びます。

これは、「あなたが生まれたとき、お父さん、お母さんは本当にうれしかったんだよ。あなたは望まれて生まれてきたんだよ」と子どもに伝えるものでしょう。子どもに対し大きな安心感を与えることができる大切なメッセージです。

おじいさんとおばあさんは、2人で協力して桃太郎を育てました。桃太郎は、ごはんを1杯食べると1杯だけ、2杯食べると2杯だけ、3杯食べると3杯だけ大きくなります。おじいさんとおばあさんは、「桃太郎や、桃太郎や」と、かわいがりました。

この描写が伝えてくれるのは、親が愛情たっぷりに世話をするおかげで子どもは元気に育つということでしょう。さらには、「あなたの成長が、おとうさん、おかあさんにはとてもうれしい」というメッセージが込められているはずです。

## 子どもは自己実現に向けて立ち上がる

桃太郎は、おじいさんとおばあさんの愛情をいっぱいに受け、居心地の良い家庭で立派に育ちます。ところが桃太郎はその環境に安住しません。

ある日のこと、1羽のカラスが桃太郎のうちの庭に来て、こう鳴きました。

「鬼が島の鬼が来て、あっちゃ村で米とった。
があーがあー
姫をさろうて鬼が島。
があーがあーがあー」

「ももたろう」（松居直著　福音館書店）

カラスの話を聞いた桃太郎は、「オラ、鬼が島へ鬼退治に行く」と言い出します。
これは自己実現を求める衝動の表れです。つまり、「自立したい」「もっと立派な自分になりたい」「人の役に立ちたい」、そして「自分の生に意味を見出したい」と求める激しい衝動です。

おじいさんとおばあさんは、突然家を出て鬼退治という危険なミッションに挑もうとする桃太郎にびっくりします。そして、猛反対します。最愛の桃太郎が出て行ってしまうのは、彼らにとって非常に悲しく寂しいことでした。

桃太郎は、大好きな2人が反対しているにもかかわらず、家を出ると言い張ります。彼らはたいそう悲しみますが、ついには桃太郎を手放すことに決めます。

ここで子どもが受け取るのは、「あなたは成長したらいつか自立し、お父さんやお母さんと別れるのよ」というメッセージです。また、親に対しても「愛する子どもをいつか手放すんですよ」と伝えることになります。

おばあさんはきび団子をつくって、桃太郎に持たせます。これは何を意味しているのでしょうか。きっと、きび団子は親の愛の象徴なのだと思います。子どもは親の愛を受け、それを自分のものにします。そして自立し、自己実現に向けて人生を歩んでいくのです。

## 自己実現に必要な資質

桃太郎が村外れまで行くと、イヌがワンワンと鳴きながらやってきました。

**「桃太郎さん、桃太郎さん、いさんでどこへお出かけです」**
**「鬼が島へ鬼たいじ」**
**「腰につけたのは何ですか」**
**「日本一のきびだんご」**

**「一つください、おともします」**

**「それではおまえに分けてやろう。これさえ食べればじゅうにんりき」**

桃太郎は腰の袋からきびだんごを1つ出して、イヌにやりました。同じようにして、桃太郎はサル、キジも従えます。

桃太郎はひとりで鬼退治をするのではなく、イヌ、サル、キジ、という仲間を得ました。なぜこんなストーリーになったのでしょう。

彼が仲間にした動物たちは、人が自立して自己実現するために必要な資質を象徴的に表している、という見方ができます。

イヌは、忠実さ、誠実さ、勤勉さ、人なつっこさなどを象徴しています。俊敏で賢いサルが表すのは、変化への機敏な対応力、そして知恵でしょう。キジは、空の向こうから突然やってくる生き物ですから、インスピレーション、勘、第六感です。また、とても勇敢な鳥ですから、勇敢さの象徴ともなります。

桃太郎は、おばあさんのきび団子によってこれらの動物を仲間につけました。このストーリーが表しているのは、子どもは親の愛情をもとに人格を成熟させていくというメッセージではないでしょうか。

地方によっては、育ち盛りの桃太郎がぐうたらで寝てばかり、という描写があります。これは、「子どもにはその子のペースがあるので、急がせたり焦ったりする必要はない」というメッセージが込められているのです。チョウになる前にさなぎの時期があるように、子どもにはそれぞれ成長のペースがあります。

## 無条件の愛を感じさせる子育て

完璧な親はいませんし、完璧な子育てもあり得ません。ですから、子どもが常に親からの無条件の愛を感じ、完璧に育つということは不可能でしょう。

しかし、子どもの心に「お父さん、お母さんは、ぼく・私のことを無条件で愛してくれている」という実感がより確かにあればあるほど、その子は自分のことを好きだと思えるようになります。情緒的にもより安定し、より安心して友だちや学校の先生と交流でき、自己実現に向け前向きに取り組むようになるでしょう。

幼児が初めて歩けるようになったとき、親が「よく歩けたね」「すごいね」と喜んでくれると、その子はとてもうれしくなるはずです。歩くことで自己実現を求める衝動と親の愛への欲求がともに満たされ、喜びと充実感を得る経験となるでしょう。

一方、親が「ほかの子と比べて、うちの子はまだここまでしか歩けない」と不満を持って接すると、どうなるでしょうか。その子は自己実現の喜びを感じるどころか、「親は自分のことを認めてくれない。愛してくれない」と感じ、不安になるはずです。その子にとって、歩くことは喜びと充実の経験ではなく、挫折と傷つきの経験になってしまうのです。

子どもが親に対して求めるのは、自分が何をしようがしまいが、そのままの自分をただ大切に思ってくれることです。

例えば、テストで高得点を取った子どもに、母親が「よくやった」と褒めるとします。努力が実って良い成績を取った子どもが喜んでいるとき、親は子どもの喜ぶ姿を見るのがうれしいものです。そのとき子どもに「成績がどうあれ、お父さん、お母さんは自分をいつでも大切に思ってくれる」という実感があれば、良い点数を一緒に喜んでもらうことで親の愛情を感じることができます。

しかし、「今回は成績が良かったから認めてもらえたけど、成績が悪ければ認めてもらえない」と感じてしまえば、子どもは親の愛情に不安を抱くようになるでしょう。

そして、その不安は「自分は劣っている」という劣等感の原因になります。

慢性的で深い劣等感は、「親の期待に応えない限り愛してもらえない、認めてもらえない」「親は自分のことを無条件で受け入れてくれない」という感覚から生まれるのです。

## 本音を抑え込むと人生の充実感を失う

無条件の愛を感じられなかった子どもは、どうなるでしょうか。

自分の気持ち、すなわち「自分は何をしたくて、何をしたくないのだろう」「自分は何が好きで、何が嫌いなのだろう」「自分は何を感じているのだろう」といった心の声と向き合わなくなり、本音を大切にしなくなります。代わりに、「親は私にどうしてほしいのだろう、何をすれば親は認めてくれるだろう」「親に認められるには何を好きになり、何を嫌いだと思えばいいのだろう」「親は私に何を感じてほしいのだろう」と、親の気持ちばかり気にするようになります。

自分の本音を抑え込んでしまい、親から求められる行動や考え方、感じ方に無理に合わせようとするのです。そうして、自分自身を失なってしまいます。「自分の可能性を開花させ、自分の人生を自分らしく生きたい」という衝動は押し殺し、「どうすれば親が認めてくれるか」と、いつも親の目、親の評価を過剰に気にして生きることになるのです。

親を喜ばせるために生きると、生の充実感は感じられなくなります。生きる意味も喜びも感じづらくなります。

実は、私もそうして生きていました。私が自分の本音を抑え込むきっかけとなった出来事をお話しします。

例

## 私が本音を抑え込むようになったきっかけ

私が小学校低学年のときのことです。

母はシングルマザーで、喫茶店を経営して妹と私を育ててくれていました。お客さんにおにぎりを出すとき、母はおにぎりをきれいに握って海苔やふりかけで飾り、見栄えよく皿に載せて出していました。しかし、私につくってくれるおにぎりは、ぞんざいに握り、お皿にポンと載せただけのものに見えました。

あるとき私は、それがとても気に入らなくなり、「ぼくもお客さんに出すようなおにぎりが欲しい」とねだりました。母はお客さんの対応で忙しかったのですが、それでも私のためにおにぎりを握って出してくれました。

ところが私には、そうして出してくれたおにぎりがやっぱり不満でした。いつもと同じ、ぞんざいに握ったおにぎりだと思えたのです。

「こんなんじゃない！　お客さんに出すおにぎりが欲しい！」

「ほら、同じおにぎりじゃないの。お客さんに出すものと同じよ。さ、食べなさい」

「イヤだ！　これはお客さんに出すおにぎりじゃない！」

すると母は腹を立てて、「そんな、訳のわからないわがままを言うなら食べなさんな！」

と、おにぎりを引っ込めました。

私はとても悲しくて黙ってしまいました。

母からするとこのときの私は「わがままな子」でした。確かに、私の要求は理不尽で訳がわからず、わがままだと思われて当然のものでした。

なぜ、私はこんなわがままを口にしたのでしょうか。子どものときにはわかりませんでしたが、今ならわかります。あの頃、「お母さんはぼくを大切に思ってくれていない」と感じる出来事があったのだと思います。おそらく、いくつもあったのです。

「お客さんに出すようなおにぎり」は私にとって母の愛情の象徴でした。つまり、おにぎり自体に意味があったわけではなく、「ぼくに愛情を注いでよ！」という訴えだったのです。

子どもがわがままを言うときは、親の愛に不安を抱いているときがあります。

そんな経験を経た私は、「欲しがるのはいけないことだ」、そして「自分の気持ちは話さないで黙っているほうが安全だ」という信念をつくってしまいました。私はこの信念のせいで、「欲しい」という感情に対し無意識にブレーキをかけ、喜びも楽しみも十分には得られない人生を送るようになります。欲しいものがあっても、「別に欲しくない」と思うようになりました。

表面的には「わがままを言わない聞き分けの良い子」になったわけです。しかし、そのあり方は「もっと良い人生を生きたい」という自己実現を求める衝動が抑圧された状態でした。親の愛情を受けられなかった経験は、自己実現を無視した生き方にもつながってしまうのです。

## 自己実現の喜びを奪うと愛情が感じられなくなる

第1章で、「私も大人のように立ったままパンツをはきたい」と苦闘した女の子のお話をしました。

女の子の母親は、苦闘する彼女を温かく見守っていました。もし仮に「何をしているの!? こっちに来なさい!」と親の手ではかせたり、「座って早くはきなさい!」と叱りつけて座ったままはかせたりすれば、その子は自己実現のチャンスを奪われてしまったでしょう。

助けを求められない限り、先回りをして、子どもが自力で挑戦するチャンスを取り上げてしまうと、挑戦のチャンスを奪われたことへの深い不満を感じることになります。

女の子はなんとか自力でパンツをはいたあと、「ケーキが欲しい」と母親に言います。あいにくケーキはなかったので、代わりにそばボーロを出してもらっておいしそうに食べていました。

もし仮に、母親が無理に座ってパンツをはかせていたとしたら、「そばボーロじゃイヤ！私もショートケーキが欲しい！」と駄々をこねたかもしれません。

なぜなら、小学生だった私が「お客さんに出すきれいなおにぎりじゃないとイヤだ！」とわがままを言ったときと同じように、その子にとってショートケーキが単なる食べ物ではなく、親の愛情の象徴となってしまうからです。

「大人のように立ってパンツをはきたい」という自己実現の願いを母親が理解せず、成長と喜びの機会を奪ってしまうと、女の子は「私の気持ちをわかってもらえない、大切にしてもらえない」と感じます。親の愛情を実感できなかった経験となるのです。

この場合、ショートケーキを欲しがるという行為は、おいしい食べ物を求めているのではなく、「私の気持ちを理解して大切にしてほしい」という欲求の表れとなります。そして、母親が家に来たお客さんにはケーキを出すのにその子には出さないということは、「お客さんには愛情を与えるけどあなたには与えない」と言う意味に感じられるのです。もし「そばボーロじゃイヤ！　私もケーキが欲しい！」と駄々をこねたとしたら、それはお母さんの愛情を求める叫びなのです。

実際には、その女の子はそばボーロで満足しました。これは、「立ってパンツをはきたい」という自己実現の願いを理解してもらったことで母親の愛情を感じ、満たされていたからです。満たされていたから、ショートケーキを通して愛情をもらおうとしなくても済んだのです。

もちろん、「ショートケーキを与えてくれなかったのは母親には愛情がなかったからだ」というわけではあり得ません。しかし、子どもには親の気持ちを汲みとれないので、そう感じられるのです。「親は私を愛してくれなかった」と信じている大人は、今でもそのように子どもの頃の心で親を見ているのです。

## 傷つきに縛られる子ども

無条件の愛を実感できなかった場合、大きくなってからもその傷つきに縛られ続けます。

まず、親から否定的なメッセージを受け取ってしまい、自分自身を裁くようになった例を見ていきましょう。

## 例 獣医になりたい気持ちを抱えて

動物好きの美栄子さん（仮名）は子どものとき、お母さんに「獣医さんになりたい」と告げました。するとお母さんは「獣医学部に行かないとなれないのよ」と言いました。

このとき彼女が感じたメッセージは、「ジュウイガクブって何かわからないけど難しいものらしい。お母さんは私を能力の低い子だと思っているし、獣医になるのは無理なんだ」というものでした。

大人になってからカウンセリングを受けた美栄子さんは、「私は能力の低い人間だ」という信念に縛られ、喜びを得られずにきたか、苦しんできたかを悟ることになります。

彼女は大学生のとき、アルバイトをして貯めたお金でヨーロッパを独りで１カ月間も旅行して回りました。しかし、それだけのことを成し遂げても、あまり達成感は得られなかったそうです。そのとき、「私は自分をがんじがらめにしている何かから逃れたくて旅に出たけど、その何かは自分の内側にある。環境を変えたって変わらない」と実感したそうです。

また、美栄子さんはとても勤勉な人ですが、その勤勉さの裏には「私は無能じゃない！」と、周囲に、自分自身に、そしてお母さんに見せつけたいという気持ちがありました。そのせいで勉強でも仕事でもしばしば無理をしてきたことにも気づいたのでした。

美栄子さんの母親は、「子どもが夢をかなえてほしい」という願いがあったから厳しいことを言ったのでしょう。厳しい言葉は母親の愛情の表れだったはずです。

それと同時に、「子どもが知的に優秀でないと受け入れがたい」という気持ちもあったかもしれません。きっと、お母さん自身も「私は親から知的に優秀であることを求められている」と感じて育ったからでしょう。

無条件の愛を感じられなかった経験は、大人になった後も、そして子どもを持つようになってからもその人を縛り続けるのです。

## 「親の愛は無条件ではない」という実感

「私は親の期待に沿わない限り認めてもらえない」「親は、どんな自分であってもそのまま愛してくれるわけじゃない」と感じると、子どもは不安になります。

「親の愛は無条件ではない」と感じてしまうと、それが幼いときであるほど、強く明確であるほど、そして繰り返し感じるほど、私たちの心に深く大きな影響を与えます。

それは、親への殺人的な憎悪にさえなりかねません。

次の例を考えてみましょう。

例

### 放火事件

ある夏の日のこと、住宅の焼け跡から夫婦の焼死体が見つかりました。警察の調べが進むにつれ、驚くべき事実が明らかになっていきます。

火事は放火によるものでした。犯人はすぐに捕まったのですが、その夫婦の中学生になる娘さんが犯人だったのです。しかもその女の子は、同級生の女の子と結託してお互いの親を殺す計画を立てていました。

2人は真夜中に家を抜け出し、まず片方の家に火をつけました。しかも、2階で寝ている両親が逃げ出せないよう、階段に燃料をまき、炎で包んだのです。次に彼女らは包丁を衣服に忍ばせ、もう1人の女の子の家に行きましたが、これは未遂に終わりました。


世間はこの事件に震撼しました。多くの人は、2人のことを異常な子どもだと考えたでしょう。私たちは「自分は正常だ」と信じようとします。そして、殺人などのように常識から外れた行動をする人のことを「自分とは違って異常だ」と信じようとするのです。

しかし、こうした考え方は、犯罪者への理解不足によるものです。私には、彼女らが異常だとは思えません。

子どもは親に依存しきった存在であり、親の保護と愛情を強く必要としています。親の無条件で安定した愛情を実感できずに育つと、深い孤独感や恐怖を抱えて生きることになります。桃太郎でいえば、きび団子をもらえないまま一人ぼっちで鬼が島へ行かねばならないような心理状態です。

そして同時に、子どもは愛情を与えてくれない親に対し、ものすごく腹が立ちます。傷つきが特に深く激しい場合、殺人につながる憎悪にもなりうるでしょう。

私はこの放火事件の女子中学生らについて、元同級生から「複雑な家庭環境だった」と聞きました。彼女たちの家庭で何があったのか、知る術はありません。ただ、きっと彼女たちは「親が無条件に、温かく安定した愛情を与えてくれている」とはほとんど感じられていなかったはずです。

親の愛情を感じられないと、誰であっても強烈な怒りを抱きます。私のカウンセラーとしての経験を顧みても、それが殺人を犯すほどの憎悪に発展することは決して珍しくないと思います。

## 子どもの問題行動

友だちと仲良くできない、不登校、うつ、非行。こうした問題を抱える子どもは、親からの安定した無条件の愛を実感できておらず、激しい寂しさと不安のなかにいます。またきょうだいの不仲の原因として非常に多いのが、親の無条件の愛を十分に感じられていないということです。親の愛が足りないと感じているから、それを巡ってきょうだいが競争し合うのです。

親の安定した無条件の愛を感じることができず不安を抱く子どもは、非行に走るなどの「悪い子」になりやすくなります。また反対に、過剰に「良い子」になることもあります。その振れ幅について詳しく見ていきましょう。

子どもが問題を起こしたとき、親は「うちの家庭には問題がない、この子自身の問題だ」と考えがちであり、子ども自身もそうした親の見方を信じています。

しかし、本当は家庭のストレスに家族がうまく対処できておらず、子どもがその行き詰まりを非行などの行動で表現しているのです。無条件の愛を感じられなかったことで「悪い子」になってしまったのです。

反抗的な子どもは、「大切な大人（親など）が、自分のことを理解してくれない、受け入れてくれない」と感じています。彼らは激しい愛情飢餓感に苦しんでいるのです。暴力や盗みなどの問題行動は、親の愛と関心を求めて起こす行動であることが多いのです。

かつて暴力団にいた男性がこう話してくれたことがあります。

「暴力団というのは、内心とても寂しいから疑似家族をつくって団結しようとしているんです」

先ほどの例とは反対に、「良い子」になるケースを紹介します。

親による無条件の愛を感じられず不安になった子どもは、「親の期待に何とか応えて愛してもらおう」とやっきになる場合があります。また、「自分は問題を起こさず親に負担をかけないようにしよう」と思う子どももいます。

そのように考える子どもは、学校でも「良い子」になりがちです。しかし、本当によく適応しているわけではありません。自分の本音を抑えつけ、「先生は私にどうしてほしいのだろう」「親はどうすれば私を認めてくれるだろう」と気にしながら生きているのです。
「良い子」であっても、反抗的な「悪い子」と同じく、親から愛されず認めてもらえない寂しさを抱えているのです。「良い子」の場合、「良い子でいないと見捨てられる」という思いがあります。この思いのため、親への怒りは本人もわからないうちに心の奥に抑圧し、感じていないようです。

こうした子どもの場合、その子の内面の苦しさを親はわかっていません。学校でも「良い子」ですから、教師もその苦しみを見過ごしてしまいます。子ども本人が「親や先生に気に入られる良い子になろう」と自身の苦しみを隠しているからです。

そして、「良い子」の方が「悪い子」より生きる力を発揮できないことがしばしばあります。非行少年はたくましさがありますから、反抗期を過ぎると、苦しみを乗り越え善良な大人になることも珍しくありません。過剰に「良い子」だった子どものほうが、将来うつ症状などによって苦しむようになりやすいのです。

いわゆる問題児となる「悪い子」も、過剰なまでに演じる「良い子」も、親から無条件で愛されたという実感が乏しいため、本当はとても傷ついているのです。

**傷ついている子どもの気持ちを傾聴するときには、そのような深い寂しさと怒りの苦し**

**みに思いをはせながら耳を傾けることがとても大切です。**

## 愛情飢餓感と人間不信

「愛されていない」という過去の痛みが心の奥底に強く残っている人ほど、人々からの愛情を求めてやまなくなります。すると、目の前の人間関係においてもさまざまな苦しみを経験することになります。そのことについて詳しく見ていきましょう

完璧な親はいませんし、完璧な子育てもあり得ません。ですから、私たちはみんな、程度の差はあれ「親は自分のことを無条件に愛してくれない」と感じて育ちました。その傷つきが深く激しいほど、強い寂しさを抱えて生きていくことになります。

桃太郎でいえば、おじいさんとおばあさんの愛情を感じられず、「おまえなんか出て行け」と家を追い出されたような状態です。しかもきび団子もなく、恐ろしい鬼が島にたった独りで乗り込んで行かなければならないとしたら、さぞ心細く寂しく、恐怖を感じるに

違いありません。

親からの無条件の愛を感じないまま大人になると、こんな気持ちで生きているのです。子どもと接する大人の責任はとても重大なものです。

親から無条件に愛された実感が乏しい人は、寂しがり屋になります。そして、「自分をすべて理解して受け入れ、関心を寄せてくれる理想の親」という幻影を、知らず知らずのうちに他人に求めてしまいます。

幼児は、親から一方的に世話と関心を与えられる存在です。寂しがり屋の人は、幼児と同じように与えてもらうことばかりを求めてしまいがちです。相手のことを思う、他人に対して与えるといった心のゆとりがないのです。

理想的な親としてのイメージを求める相手として特に多いのは、恋人や配偶者、および目上の人、権威者です。

例えば、恋人や配偶者に「この人なしでは生きていけない」「この人がいないと自分は空っぽだ」と感じる人がいます。しかし実際には恋人がいるほどの年ですからもう幼い子どもではありません。たとえ恋人を失っても何の問題もなく生きていけるはずです。

こうした人たちは、相手に対して理想的な親の幻影を求めているのです。親に頼らなければ生きていけない子どものように、大人になっても相手に依存してしまうのです。
もちろん相手は理想的な親ではありませんから、このような甘えた要求はかならず裏切られることになります。すると、「ああしてくれない、こうしてくれない」と不満に思ったり、怒ったり、傷ついてしまうのです。

子どもの頃から愛情を感じることができず、心の痛みを強く抱いている人ほど、こうした人間関係の苦しみを味わいます。親の愛情を実感できなかった寂しさを自覚している場合でも、寂しさを抑圧したまま気づいていない場合でも同じです。「当然の欲求なのにかなえてもらえない」と感じたり、その思いを押しつけて相手から責められたり、攻撃されたり、裏切られたりと、心の痛みが大きい人ほど人間関係に苦しみを抱えるのです。

また、こうした人は他人の目を気にしやすく、その点でも人間関係が重荷になります。

## 認められるための条件を満たそうとする

私たちは「そのままの自分を認められたい」と願っているにもかかわらず、認められるため、他人に合わせようとしてしまいます。「いい人」の仮面をかぶったり、見栄をはったり、人の目を気にしてやりたいことを諦めたり……。

しかし、条件を満たした偽りの自分を認められたところで、本当に望んでいる無条件の受容・尊重は得られませんから、不満足の感覚がつきまといます。

私たちがこのように自分を偽るのは、過去に傷ついた経験があるからです。

親からの愛を実感できないと、その寂しさを埋めるため、他人に対して愛情と関心を強く求めます。そして、「親が私のことを十分には愛してくれなかったのと同様に、他人は私に対して否定的だ」という人間不信の感覚を抱きながら人と関わるようになります。

人から距離を置き、本当の自分を見せないのも同じ理由です。傷つきは心の壁をつくらせます。自分を素直に見せなかったり、人から距離を置いたりする人ほど、愛情飢餓感が強く、人間不信を抱えているものなのです。

# 愛されない傷つきは挑戦の勇気をくじく

「そのままの自分では愛してもらえない」という傷つきが深く強いほど、自己実現の挑戦に恐怖を感じやすくなります。

スポーツにおいて、一流選手になる上で大きなプラスとなるのが「自分は親から無条件に愛されている」と強く感じて育つことです。

反対に、「試合で良い結果が出せなければ、自分という存在自体が親から否定される」「親の期待に応えない限り、自分は愛される価値のないダメな子どもだ」と感じて育った場合はどうなるでしょうか。

この感覚が強い選手は、試合の結果を「自分という存在が愛される価値があるかどうかを左右する恐ろしいもの」として捉えるようになります。すると、プレッシャーに弱い選手になってしまいます。

プレッシャーに強い選手と弱い選手の心の中を対比して考えてみましょう。

プレッシャーに強い選手は、「勝ったらこんなに素晴らしいぞ！」と、勝つことしか考えません。そして試合に勝つと喜び、「もっと強い選手になりたい」と、いっそうやる気を出します。負けたときは悔しがり、「もっと強い選手になって、次は勝つぞ」と雪辱を誓うでしょう。

プレッシャーに弱い選手は、「もし負けたら、自分は価値の低い人間だということになってしまう」と感じています。そのため、過度に緊張しています。

試合に勝ったときには「ああよかった、自分がダメ人間だと思われずに済んだ」と安心しますが、同時に「次の試合で負けたらどうしよう？　ダメ人間だということが今度こそ証明されてしまう」と感じてしまいます。勝ったにもかかわらず、心に不安が生まれるのです。また、負けたときは落ち込み、「やっぱり自分は価値の低い人間だ」と信じるようになります。

また、勝負が怖いあまりに、競技選手としてのキャリアを早くにやめてしまう可能性もあります。「スポーツは趣味ですればいい。普通の大学生になるから。そもそもそこまでスポーツが好きなわけじゃないし」と自分に思いこませ、勝負を遠ざけるようになるかもしれません。無条件に愛してもらえない心の痛みは、自己実現に向けて挑戦するための勇気をくじくのです。

親を喜ばせるために、無理してスポーツを続けた場合でも、「自分の選んだ道を自分の足で歩いている」「自分の人生に意味がある」という充実感は乏しく、そのために苦しむことになるでしょう。

スポーツ選手を例に取りましたが、このことはすべて私たちに当てはまります。

無条件に愛された実感に乏しい人ほど、完璧症になりがちです。「勝たなければ愛される価値のある人間ではない」と信じる選手と同様に、「完璧にしなければ愛される価値がない」と信じているからです。

## 自分らしく生きる人ほど自立している

親の愛を求める人ほど依存しています。反対に親や他人の目を気にせず、自分を殺すことなくイキイキと過ごしている人ほど自立しています。

このことについて、「性悪説」の立場から反論が出るかもしれません。「人はしたいようにしたら自分勝手になり、人を傷つけたり罪を犯したりする。だから人目を気にしたり、罰を恐れたり、罪悪感を抱かせたりして抑えつけなければならない」という意見です。

このような考えは、おそらく世間一般に共有されているものでしょう。ほとんどの人は自分勝手にならないように人間を罰や罪悪感で抑えつけ、縛り付けることが必要だと信じていると思います。

しかし私はこう思います。

人は、本当に自分らしく生きたときには、自分の中にある愛が開かれます。すると、欲しいものを奪うために人を傷つけたり、不幸にすることはしなくなるでしょう。本当に幸せで心が満たされた子どもは、ほかの子どもをいじめたりはしません。いじめっ子になるのは、不幸な子どもです。

そして、本当の意味で自分を大切にしている人ほど自立しています。そういう人は、人目を気にするあまり仮面をかぶって自分の本音がわからなくなったり、本当にしたいことを我慢したり、罪悪感によって自分を縛ったり……。そういうことがありません。

自立とは、桃太郎がおばあさんのきび団子を持って鬼が島に向かったように、親から受けた愛情を心のうちに抱いて歩んでいくことです。自立は、一人ぼっちになることではありません。親の愛情が心に生き続けているからです。だから自立した人は親孝行になるのです。

それに対して、親の愛を拒否して家出のように飛び出すのは自立ではありません。反発心から家出をするのは、本人にとってそうせざるを得ない、とても辛く苦しい理由があるのでしょう。しかし家出をした人は、心の寂しさゆえに、他人からの愛情と関心を求めてさ迷い続けることになります。自分のことを無条件に愛し、理解し、受け入れてくれる理想的な「親の代わり」を渇望するからです。そのような人は「自分を愛してくれる親」を求め続けており、親の価値観に縛られ、親への怒り、愛されない寂しさに心を支配されています。

反発心や怒りを抱くことは、親に甘えて離れられないことと同様に、親に依存し支配されている状態なのです。

## 愛と幸せを増やすためにできること

子どもだけではなく大人も、「そのままの自分のことを大切に思ってほしい」「受け入れてほしい」と求めています。

配偶者から「あなたがこうだったら認めるけど、そうじゃなかったら見捨てる」と言われるより、「あなたがいてくれてうれしい」とか「生まれてきてくれてありがとう」と心から言ってもらえるほうが、ずっとうれしいですよね。

誰もが無条件に自分を愛され、尊重され、受け入れられることを強く求めています。ですから、世の中に愛と幸せを増やすために私たちができる大きな貢献は、家族、同僚、友だちなど周りの人に、「そのままのあなたを大切にしている」と伝えることだと思います。

これは、行動と言葉で伝わります。

「無条件で人を愛するなんてできない」と思うかもしれません。確かに、いつでも誰をも無条件で愛することは不可能でしょう。ただ、少しでも無条件の愛を与えることができれば、その分だけこの世がより良い場所になるでしょう。あなたがいるおかげで世の中が良くなるのです。

そして世の中により大きな愛を広げているとき、私たちは生まれてきた目的をかなえながら生きているのだと思います。

すべての親の心には子どもへの愛があります。たとえ子どもを虐待したり育児放棄をしたりする親でも、子どもへの愛はもっています。そして、親の愛を感じることができず育った人も、成人してから親の愛を感じることは可能です。プロの心理カウンセラー（心理療法士）の援助を利用し、心の痛みの解決に取り組むのは自分のためにとても良いこととなるでしょう。

# 3
# 「自分を表現したい」と求める衝動

この章では、私たち誰もが持つ4つの心理的衝動の3つ目、「『自分を表現したい』衝動」について学んでいきます。傾聴が意味を持つのは、私たちに自分を表現したい衝動があるからなのです。

## 誰もが自分のことを表現したがっている

私がかつて働いていた心療内科医院は、居酒屋の立ち並ぶ繁華街にありました。カウンセリングの勤務を終えて通りを歩くと、どのお店でもスーツ姿のサラリーマンたちが同僚と酒を飲み、ワイワイガヤガヤ、延々とおしゃべりをする姿が目に入ります。男というのは、本来はとてもおしゃべりなものです。

また、私はよくオシャレなカフェへ入り、1人でランチをします。ほかの客はほとんどが女性で、友人とおしゃべりをしています。私がお店に入る前からしゃべっており、私がパスタを食べているときも、食後にコーヒーを飲んでいるときもしゃべり続けます。きっと私が店を出た後もしゃべり続けているでしょう。

これらの光景からは、「気を許せる相手には自分のことを話したい」という私たちの衝動が読み取れます。

校長先生の話がうんざりするほど長いのも、親の説教が長いのも、「自分の思いを表現したい」という強い衝動があるからです。

自分の考えや気持ちを表現する方法は、話すことだけではありません。絵を描くこと、写真を撮ること、歌うこと、メールを送ること、詩や日記を書くこと、ファッション、髪型、化粧。これらはすべて自己表現の方法です。

想像してみてください。今から24時間、一切何も表現してはいけないとしたらどう感じるでしょう。一言も口を利いてはいけないし、メールもダメ、手紙もダメ、歌を歌う、詩を書くなど創作的なことも一切できません。服はユニフォームのようなものを着せられ、髪型は指定されたものに変えられます。

そうなったら、耐えがたいほどの苦痛を感じるはずです。私たちの持つ「自分を表現したい」衝動がいかに強烈であるかがわかる一例です。

傾聴が意味を持つのは、私たちに「自分を表現したい」という衝動があるからです。表現することで、ほかの誰かに自分をわかってもらいたいのです。だからこそ私たちは、「この人なら何を話しても自分の身になってわかってくれるし、そのままの自分を大切に思ってくれる」と感じられたときにはいくらでも話したくなります。

## 「自分を表現したい」衝動がない?

高校の先生を対象とした研修を行ったときのことです。「『自分を表現したい』衝動は誰にでもあります」と話すと、ある先生がこう反論しました。

「問題を起こした生徒を呼び出したとき、私は優しく話を聞こうとしているのに、彼らは反抗的な態度をとります。何を尋ねてもふてくされた顔で黙ったままだし、みずから話そうなんて絶対にしません」

この非行少年たちには、「自分を表現したい」衝動がないのでしょうか？　誰もが自分のことを表現したがっている、というのは間違いなのでしょうか？

もちろんそうではありません。反抗的な少年たちが話そうとしないのは、親や教師など大切な人に本音をわかってもらえず、否定や批判をされ傷ついてきたからです。「過去に心を開いたときに傷ついた。どうせこの人も俺のことなんかわかってくれない」と思っているのです。

または、きょうだいなど周りの誰かが本音を口にしたとき、否定や批判されたりしたのを見て、「本音を言うと危険だ。ぼくは本音を話さないぞ」と決心したのかもしれません。

しかし、彼らも本心では「寂しくて、認められたいし愛されたい。でも批判されるのが辛くてたまらないし、自分の気持ちを話すことが怖い」と思っているはずです。

知ってほしいけど怖いと言う気持ちを反抗的な態度を通じて訴えています。どれほど強い不信感と怒りを感じているか、そしてその奥でどれだけ傷ついているかを伝えているのです。

## 「話すことがない」と感じる状態

初対面の人と話をするのは難しいものです。何を話せばいいかわからないこともありますが、「わからない」の奥には「何かを話したときに相手が自分を嫌ったり見下したり怒ったりするかがわからないので、本音のまま話せない」という不安が隠れています。本音で話して嫌われることを避けるため、心が無意識にストップをかけるのです。そんなとき、「話すことがない」とか、「頭が真っ白で、話が出てこない」という状態になります。

本音を話すことは簡単ではありません。初対面や、相手を信頼できていない状態では、「自分の身になってわかってもらえないんじゃないか？　受け入れてもらえないんじゃないか？」という不安を持ってしまいます。

これを知っていることは、傾聴する上でとても大切です。話し手にとって、本音を話すのは難しいということを心に留めておきましょう。

そして、誰かに対し本音を話せていないときは、どうでもいい些末なことや当たり障りのないことを話してしまいがちです。また、具体的にわかりやすく語ることができず、抽象的で何が言いたいかわからないような話し方しかできないこともあります。

次に、そんな話し手を傾聴するときに大切なことをお伝えします。

私たちが本音を話すことができず、ささいなことばかり話題にしてしまうこの原因について、次の３つの場合があります。

１つ目は、聴き手を信頼できていないときです。「本当に大切なことを話すと、聴き手から拒否されたり軽蔑されたりするんじゃないか。わかってもらえないんじゃないか」と思っているのです。

例えば、幼い子どもを虐待している母親がその事実を隠し、当たり障りのない話題しか話さない、という場合がこれにあたります。

２つ目は、本音を話すと耐えがたい感情が湧いてきそうになるため、その話題を避けずにはいられないという場合です。あまりに激しい怒りや憎しみ、それを感じた出来事については、語ろうとすると当時のことが思い出され、語ることができなくなります。そんなとき、私たちは当たり障りのないささいなことしか話せません。

３つ目は、自分でもわからないうちに感情を抑え込んでいる場合です。

例えば、ある男性には母親に甘えたい強烈な欲求があり、実際には愛情を得られないことへの寂しさを胸に抱えていました。それを思い出すとあまりに辛すぎるので、気持ちを押し込めて感じないようにしており、話すこともできなくなっていたのです。

## 具体的に話してくれないとき

また、具体的にわかりやすく話すのではなく、抽象的にしか話せないことがあります。

例えば、うつ気分に苦しむ人がいたとします。「朝起きると、ものすごく嫌な気分でいっぱいで、起き上がることさえできない。『こんな自分はダメ人間だ』と、ひどい自己嫌悪感と絶望感で……死にそうなぐらい辛いです……」と思っています。

そう話せば、聴き手には言いたいことがわかるし、その苦しみも想像しやすいでしょう。

しかし、話し手は具体的に話してくれません。

「最近うつっぽいんですよねー」と簡単に言ったり、「誰だって心がしんどいことってあると思うんですよ。見かけほど元気なもんじゃないですよ。人って弱いもんです」と、他人事のように話したりします。これでは、聴き手には何が言いたいかがよくわかりません。こういうとき、聴き手は「何のことかよくわからないのですが、具体的にはどういう意味ですか？」と尋ねたくなります。しかし傾聴では、こうした質問はよくありません。踏み込みすぎているからです。

抽象的にしか話せないときは、そうせずにはいられない理由があります。先ほどの例でいえば、うつ気分について正直に話してしまうことで、聴き手から「異常な人だ」「弱い人だ」「文句の多いイヤな人だ」などと思われるのを恐れているのかもしれません。または、うつ気分の苦しみを克明に語ると、その苦しみが湧き上がりそうになり、辛くなってしまうのかもしれません。

傾聴するときには、無理に話してもらおうとしてはいけません。話し手の気持ちを慮り、話し手のあり方を受け入れて耳を傾けることが大切です。

私たちには、「心を開いて自分を表現したい」、そして「素の自分をわかって受け入れてほしい」という強烈な願いがあります。

ですから、聴き手が本音をなるべく話し手の身になって理解し、話し手を心から大切に感じ、そしてその思いが話し手に伝わったときには、話し手の心はゆるみ、自由になります。そして、とめどなく話すことが湧き出て、それらを口にしたくなるものです。これが傾聴における人間関係です。

話し手と聴き手の関係を育てていくためにも、話し手が本音を話さず、当たり障りのない話、抽象的でわかりにくい話をしても、聴き手は無理に話してもらおうとしてはいけません。そのようにしか話せない相手の気持ちを想像して理解し、話し手を大切に思い遣りながらゆったり落ち着いていることが大切です。

私たちの心には、無条件の愛情を求める衝動と、「自分を表現したい」と求める衝動、「もっと成長したい」「同じ自分じゃイヤだ、変わりたい」と自己実現を求める衝動があります。自分の話を共感的に傾聴されるほど、心の自己治癒力と成長力、すなわち自己実現を求める衝動が解放され、働き始めます。

しかし同時に、私たちの心には「変わるのは怖いから変わりたくない、今のままでいたい」衝動もあります。人の話を共感的に傾聴するためには、その衝動について理解することもとても大切です。次の章で詳しく学びましょう。

# 4

# 「変わりたくない」という衝動

## 自己実現を目指さないのはなぜか

第1章でお伝えした通り、人は誰しも「もっと良い自分になりたい」「もっと良い人生にしたい」という自己実現を求める衝動を持っています。

しかし、もしかするとあなたはこの衝動についてピンと来なかったかもしれませんね。「そうかなあ？　自分は消極的なタイプだし、なかなか踏み出せないし……」と思ったかもしれません。

誰もが自己実現を目指し、新しいことに挑戦して生きているわけではありません。それどころか、成長への意欲もなく、不満や苦しみを抱えながらも解決するための建設的な行動はせず、ダラダラと生きているように見える人がたくさんいます。なぜでしょうか？

人間の根本的で強烈な衝動の4つ目は、「傷つきたくない」「変化は怖すぎるので今の状態にしがみついていたい」を求める衝動です。これは現状維持の欲求で、人は「変わるのが怖い」「今のままでいいじゃないか」と思ってしまうものです。

私たちは誰もが、成長を求め「変わりたい」と願う衝動（自己実現を求める衝動）と「変わりたくない」という変化を拒む衝動の両方を持っています。そして、この矛盾する2つの衝動による葛藤を抱えているのです。

「傷つきたくない、変わるのが怖い」という衝動が大きくなる原因について、重要となるのが過去の傷つきの体験です。

私たちが傷つくのは、自己実現を求める衝動と無条件の愛を求める衝動が満たされないときです。その傷つきが大きいほど、「もう傷つきたくない。今の状態にしがみついていたい」気持ちが強くなります。

自己実現を果たすには失敗の可能性がある中で挑戦しなければなりませんが、過去の傷つきを癒しきれていないときは、「また傷つくかもしれない」と恐れを抱いてしまいます。挑戦、成長、変化を求めてやまない自己実現を求める衝動に従って行動することが、とても危険に感じられるのです。そこで私たちの心は、自己実現を求める衝動を感じないよう、無意識のうちに抑えつけてしまいます。

そして、「変化よりも今あるものを手放したくない」「今までのやり方にしがみつかずにはいられない」という心のあり方になります。同様に、「また傷つくんじゃないか」と恐れるので、新しい出会い、環境や行動に対して、不安が強くなります。

## 変化を拒む衝動が不幸を生む

充実した生を送るために、そして自分自身を好きになり認めるためには、「成長している」という実感と「人の役に立っている」という実感の両方が必要です。

ところが、「もう傷つきたくない、変化は恐すぎるので今のままでいい」という衝動にもとづいて選択や行動をすると、成長できませんし、人を助ける機会も少なくなります。生きる意味や充実感も感じられず、そんな自分を好きとは思えなくなります。

不幸な人ほど、「変化は恐すぎるので今の状態にしがみついていたい」という衝動を優先します。さらに、そうして生きることでより幸せを遠ざけてしまいます。

「変わりたくない」と求める衝動が生む不幸について、詳しく見ていきましょう。

「傷つきたくない、変わりたくない」と求める衝動は、まだ癒されていない過去の傷が深く激しいほど強くなります。すると、自分の可能性を広げるチャンスから尻込みするようになり、新しい挑戦ができなくなっています。

例

## ある専門職の女性

ある専門職の女性は、所属する協会の会長から役員になるよう声をかけられました。これはたいへん名誉なことで、彼女が優秀で人望もあったからです。ところが彼女は、「自分なんかに役員が務まるだろうか、断るべきじゃないか」と悩み苦しんでいます。

彼女は子どものころ、両親の期待に応えられなかったことでひどく叱られた経験がありました。「失敗する人間は価値の低い人間だ」というメッセージを受けて育ったのです。そのため、新しいことをするたび、「失敗したらどうしよう」という不安が先に立つパターンに陥っていました。

彼女が悩んだ原因としては、「会長の期待に応えることができなかったら悪く思われるし、協会の会員たちからも『ダメな役員だ』と思われるんじゃないか」という、人から悪く思われることへの恐れもありました。

無条件の愛を求める衝動が満たされずに傷ついている人ほど、他人から良く思われているかどうかが気になって不安になります。すると、新しいことにチャレンジするよりも、「人から悪く思われないこと」を優先させずにはいられなくなります。そのためこの女性のように、「自分は人の上に立つような人間じゃないから」など自分を制限する思い込みにしがみついてしまうのです。

例

## ヨガ教室での出来事

私がかつて通っていたヨガ教室でのことです。ある日のレッスンに、60代の男性が体験参加していました。男性はその日のレッスンについて不満を持ちました。

「今日は初めていろんな体操や呼吸法などをしたが、それをするとこういう理屈でこう効くということをレッスンの前に説明してもらわんとわからん！　説明もなく『さあ、やってみましょう』と言われても、納得できない！」

その男性の物事の進め方は、「先に理屈で納得してから行動する」というもので、「とにかく先にやってみる」というのは彼のやり方ではなかったのでしょう（スタッフによると、本当は先にレッスンの説明をする予定だったのに、その男性が遅刻したため説明の時間が取れなかったのだそうです）。

その男性は、「理屈で納得していなくても、先生に委ねてやってみる」という新しいやり方を拒否しました。それまでの自分のやり方を手放すことができなかったのです。このように自分のやり方に固執するのも、変化を恐れる衝動の表れです。そして、これはつまり、「成長よりも、変化しないことを優先させずにはおれない」というあり方です。

## 変化の拒否は人生を空虚で退屈にする

自己実現を求める衝動から物事を選択し行動するとき、生きる意味と充実感が感じられるし、そんな自分のことを認めることができます。

その反対に、傷つくことを避けて変化に抵抗し、成長よりも今の状況にしがみつく生き方は、人生が空虚になり、胸の奥にむなしさと悲しみが残ります。私たちが生きるこの社会は、そうして生きている人たちであふれているように私には思えます。

不幸な人ほど変化を恐れます。私はそれを繰り返し見てきました。

自分の可能性を伸ばし、人生をイキイキと充実させ幸せに生きている人ほど、もっと成長しようとするし、変化に対応しようとします。それに対し、不幸に過ごしている人は、今までのパターンをやめて新しい行動や考え方をすることに、強く抵抗します。

これは、反対であるべきであるように思えます。幸せなら今までと同じやり方を続けるべきだし、不幸なら現状を変えたくなるはずです。

しかし、現実にはそうではありません。カウンセリングでも、大きな不幸に苦しむ人ほど変化を受け入れるのに時間がかかることが多いものです。

# 5 心の傷つきと癒しについて理解する



傾聴を理解するために大切な私たち人間の心の成り立ちについて、4つの心理的衝動に分けてお伝えしてきました。それを踏まえ、この章では心の傷つきと癒しについて理解を深めていきます。

## 人間性への不信が苦しみを生む

傾聴の基盤には、人の本質への信頼があります。「人には『もっと愛したい』『もっと成長したい』という発展的な本質を備えている」という理解です。

これがなければ傾聴という営みはありえません。なぜなら、もし「本質的に人は自分勝手で、他人を傷つけてでも自分の欲望を満たそうとするし、怠惰で成長よりもラクをすることを求めるし、信頼に値しないものだ」という考え方が正しければ、私たちが他人にすべきことは、気持ちを理解したり大切にしたりすることではありません。人に正しいことを教え、正しいことをするよう強制し、間違ったときには罰し、成長を強制し、上手やったらほうびを与えたりして、「成長したい」という動機付けをすることです。

実際に、今の教育の大部分はそのような人間性への不信にもとづいているし、教育だけではなく、あらゆる面において、大衆は同じ考え方をしているように思います。

「もっと成長したい」という人間の本質を信頼していない世の中では、罪を犯した人には刑罰を与えるだけで、心のサポートはしません。道徳的に悪いことをした人を罪悪感によって罰します。学校は点数で人を競争させ、「成長したい」という本質は二の次です。

私はかつて日本と米国の大学において、教員として、また大学に設置されたカウンセリング・センターのカウンセラーとして多くの学生たちと関わりました。そのときに強く感じていたのは、日本でも米国でも、一見普通におしゃれをしている健康そうな学生たちの中に、大きな心の問題を抱えて苦しんでいる学生がたくさんいることです。

人が怖い、うつ、不眠、リストカット、摂食障害、繰り返す自殺企図、親と何年間も口を利いていない……。人前では元気そうに振る舞っていても、実は深い心の苦しみの中であえいでいるのです。「一時的なものだから時間が解決する」とか「悩みの多い年ごろだから」と放っておいてはまずいほどの深く重い苦しみです。

日々を過ごすことに精一杯で、大学がさまざまな成長と学びの機会を提供していても、それを積極的に活かす元気と心のゆとりに乏しい——。そんな学生は決して珍しくありません。

キャンパスにある苦しみと不幸は、世の中にあふれているものの一端に過ぎません。世の中にはとても多くの苦しみと不幸が存在します。人間関係の断絶と孤立、傷つけ合い、情緒不安定、怒り、憎しみ、不安、うつ症状、完璧症の苦しみ、自分のことが好きになれない、など枚挙にいとまがありません。

こういった苦しみや不幸が世の中にあふれているのは、人間性への不信と、その不信からつくられた人間の本質に反する制度や習慣によります。そして、人間性への不信とは、人々の心の傷つきによるものです。癒されず未解決のままの傷つきは、大なり小なり誰の心にもあり、それがさまざまな心の苦しみ、人生の苦しみの源になっているのです。

そこで次に、心の傷つきがどのように苦しみの源になるか、詳しく学んでいきましょう。

## 自己無価値感が成長を妨げる

まずは、自己無価値感によって成長よりも現状維持を求めてしまう例を、私自身の経験から見てみます。

例

### 褒められても認めたくなかった自分

かつてヨガ教室に通っていたときのことです。ヨガではへその下の部分を丹田と呼んで重要視します。そこに気が充実すると体力・気力があふれ、行動力が出て、自信がつくといわれています。

ある頃から、ヨガの先生たちに「丹田が強くなりましたね」と褒められるようになりました。しかし私は素直に喜ぶことができず、「はぁ、そうですか……。自分ではあんまりわかりませんけど……」と煮え切らない返事をしていたのです。

あるときふと、私は自分がそんな反応をしていることに気が付いて、「なぜぼくは素直に喜ばないんだろう」と考えました。

答えはすぐにわかりました。「はい、丹田が強くなりました」と言ってしまうと「私は丹田の弱いダメ男でした」と認めることになると感じていたのです。ヨガのおかげで丹田が強くなったということは、それまでの自分のやり方が悪かったと認めることのように感じて、プライドが許さなかったのです。


私のこのような心の動きは、「変わりたくない」衝動の表れです。自分が変化している事実を否定していたのです。これは、「今までの自分のあり方が正しい」と思いたかったからであり、他人にもそう思ってほしかったからです。

その思いは、「自分は正しくなければ価値がない」という、心の深くにある自己無価値感に根差すものでした。もし私に自己無価値感がなければ、自分を正当化しようとはせず、「丹田が強くなりましたね」と褒められたときも素直に喜んだでしょう。

このように、「変わりたくない」と求める衝動の根本には、自己無価値感があります。プライドの高い人は、自分のことを優秀で正しいと信じなければ不安になってしまうので、「おかげさまで良くなりました」と謙虚に認めることができないのです。

また、自己無価値感の強い人ほど、他人の言動によって「自分を否定された」「無視された」と感じて傷つくことが多くなります。それはただの妄想なのですが、本人は妄想だとは思っていません。

本当の問題は、自分自身を否定していることです。自己無価値感によって「もっと正しい立派な自分にならなければならない」と感じて焦って、人間関係でも傷つきが増え、追い詰められてしまいます。

## カウンセリングで自己無価値感に気付く

私は多くのカウンセリングを受けてきました。ある日のセッションでは、「ぼくは有能でなければ存在している価値が低い」という強い思い込みが、全身に湧きあがってきました。

そのとき初めて、そんな思い込みが心の奥底にあったことを理解し、深い悲しみを感じました。

私が心の奥底でそう感じていたのは、子どものころに親から拒否されたり侮辱されたりしたからでした。私は、両親が不仲で、父は家を出て行ったため、気持ちが不安定でいら立ちやすい母に育てられました。子どものころ、母から叩かれたり、「アホ！」「弱虫！」などとののしられたりしたことが何度もありました。

母自身も仲の悪い家庭に育ち、高校を卒業すると家出同然で親元を飛び出しました。幼い頃の傷が残っていて、今でも彼女の母親（私の祖母）を憎んでいる部分があります。母も辛く苦しかったのです。

私は「良い心理カウンセラーになりたい」と思い、とても努力していました。その努力の基盤には「人々に幸せになってほしい」という愛もあったとは思います。一方で「有能なカウンセラーにならないと自分の存在価値が感じられない」という自己無価値感もありました。ですから常にストレスを感じていたし、不安な心を抱えたままカウンセリングをしても、その効果には限界がありました。

しかし自分が持つ無価値感をありありと感じ、語ることができたあのカウンセリングを境に、何かが変わり始めました。以前よりも力が抜けて楽になったし、気持ちが安定しました。そして、心理カウンセラーとしての実力も確かに上がりました。

前章で、ヨガ教室に体験参加していた60代男性について紹介しました。スタッフに対し「ヨガレッスンの前に、それをするとこういう理屈でこう効く、ということを説明してくれなかった」と怒っていた男性です。

彼が従来のやり方を変える時に見せた抵抗心も、自己無価値感から生まれたものです。自信があればおびえる必要はありません。「自分の価値が感じられない、信じられない」という思いが心の底にあったことで、指導者からどう思われるかが過剰に気になり、「これまでの自分のやり方を否定された」と感じてしまったのでしょう。先生から学ぶことよりも、「自分のやり方が正しい」と認めてもらうことを優先させてしまったのです。こうなってしまうと、成長もできなくなります。

## 心の自動防御反応が感情をマヒさせる

心の自動防御反応は、「こんな欲求や感情を感じてはいけない」と信じこませ、欲求と感情を抑え込み、感じなくさせます。

私が小学生1年生のとき、父が妹のためにパンダのぬいぐるみを買ってくれました。ところが妹よりも私のほうが、そのぬいぐるみを抱いたり、遊んだりしていました。それを見た父は、「昇にもパンダのぬいぐるみを買ってこようか？」と何度か尋ねてくれたのですが、私はそのたびに「ううん、いらない」と答えていました。私は、本当に欲しくないと思ってそう返事をしていました。

しかし今振り返ると、私は「ぬいぐるみが欲しい」という欲求を感じないよう否定し、気持ちを抑圧していたのです。両親から男の子としての振る舞いを期待されており、幼な心にも「ぬいぐるみを欲しがるのは女々しい」と感じていたのでしょう。

私たちの文化には、他者に認められ受け入れられるための条件がたくさんあります。例えば男性の場合、強いこと、論理的であること、行動力があること、競争に勝つこと、独立心が旺盛であること、自信があることなどが「立派」だとか、「あるべき」姿だと見なされる傾向があります。

女性は、笑顔、容姿の良さ、情緒の豊かさ、優しさ、子どもや動物が好きであること、人と仲良くできること、控えめであることなどに価値が置かれがちです。

人の目が気になる人ほど、これらの固定観念を備えているということをアピールする傾向にあります。自分を偽り、本音を見せないようにし、世間的に認められるような感情だけを感じるようになります。そうではないもの、つまり自分らしさを無意識のうちに抑え込み、感じなくしてしまうのです。

## 耐えがたい感情を抑え込む

辛いことがあったとき、多くの人は感情をマヒさせようとします。その方法を挙げるとエンタテインメントであり、テレビ、ゲーム、インターネット、アルコール、ギャンブル、そしてセックスもそうです。さしたる目的もなく時間を費し、没頭するようになります。

人はあまりにも大きな悲しみや辛さに直面すると心の自動防御反応が働き、無意識のうちに感情がマヒすることもあります。例えば、大切な人が死んだのに悲しみを感じない、というケースです。

私が大学の講義でこのことを話すと、毎年同じような感想文が出されました。

「祖父が亡くなった葬式で、みんな泣いていたのにぼくは悲しくなかったし、涙も出ませんでした。大好きな祖父だったのに。それ以来、自分のことを冷たい人間だと責めていました。でも、悲しすぎると悲しみが感じられないと知って、自分を責める気持ちがなくなりました。ありがとうございました」

トラウマとなるような耐えがたい出来事は思い出せなくなります。辛すぎる幼少期を過ごし、そのころの記憶がほとんどないという人は珍しくありません。

辛すぎる感情を感じないようマヒさせる心の働きは、一時的には必要なものです。しかし、それが長く続くと、感情そのものがマヒしてきます。生きている実感を失ってしまったり、体の不調や病気、うつ症状などが出ることもあります。

また心をマヒさせるとき、本来、人間に備わっている自己治癒力と成長力が発揮されません。そのため心の傷つきがそのまま残り、人生に苦しみや困難が増えてしまうものです。

## 過去からの影響に気付けない

私たちの人との関わり方は過去の経験によって色づけされています。特に、幼いころ無条件の愛を受けた実感が乏しい人は、孤独感、空虚感、不安、恐れ、怒り、そして愛情への渇望感や甘えなど、当時の感情を周囲の人たちに向けてしまいます。

例えば、幼い頃に愛情と安心を感じられない家庭環境で育った人は、心の痛みが癒されるまでは、人との距離感を間違えやすくなります。過剰に甘えたり、そうなることを恐れて心を閉ざしたり、人の目を気にしすぎるあまり、自分の純粋な欲求を犠牲にして苦しくなったりします。

過去の傷つきから「物事を完璧に行わないといけない」という不安を強く抱くようになった人は、自分を好きになれません。人から悪く思われることへの不安も強く、慢性的な孤独感と愛情飢餓感に苦しんでいます。

ところが、自分ではその事実になかなか気づきません。

「私が誰かに甘えたり依存的になったりするのは、その相手を愛しているからだ」とか、

「壁をつくるのは相手が信頼できない人間だからだ」とか、「人の目を気にして自分を犠牲にするのは、そうするしか選択肢がないからだ」と本人は信じています。また、「ものごとを完璧にしようとするのは当然のことだ」と信じているのです。

私たちは、自分の不安や苦しみが、過去の未解決の心の痛みから来ていることをわかっていません。心理学の本を読んだり、あれこれ理屈で自己分析したりして、知識としてわかることはあります。しかし、本当に理解できるわけではなく、不安も苦しみも変わりません。

本来は、自分の本心を素直に話して共感的に受け止めてもらったり、辛い出来事について話して、感情を十分に感じたりすることが癒しのプロセスとなります。しかし、自動防御反応が働くことで、本当の自分の気持ちがわからなくなってしまいます。本当の気持ちを感じることができないと、それを話して癒されることもないので、心の痛みはそのまま残ります。

自動防御反応は誰の心にもあります。程度の差はあれ、誰もが自分の心について分からない状態で生きています。だからこそ、世の中には不幸や苦しみがあふれているのです。

## 不幸の原因は自分のなかにある

私たちは、拒絶されたり否定されたり、孤独感の苦しみ、心の不自由さなどについて、他人を責めたくなるものです。しかし、原因は自分の中にあります。それを変えなければ、環境を変えても、同じように不自由な現実や葛藤にあふれる現実をつくりだしてしまいます。

イキイキとした日々を幸せに生きている人と、つまらない日々を不幸に生きている人は、心のあり方が違います。違いを比較してみましょう。

イキイキと幸せに生きている人は「誰かに貢献したい」という気持ちが強く、人のために自分から進んで何かをしたり、人が喜んでくれるものを提供したりします。例えば、人が必要としているものをあげるとか、自分から人に話しかけてあげるとか、人を笑わせて楽しい気持ちにするということです。

そして、自分が与えるだけではなく、人からの助けや思いやりを感謝して受け取ります。

また、常に「成長したい」と願ってみずから積極的に取り組みます。

彼らは人生の良いところに目を向けます。問題があっても被害者のままでいるのではなく、解決するために必要なことを行います。

それに対して、毎日をつまらなく不幸に生きている人は、人の好意やお金など欲しいものをもらうことはあっても、自分から進んで人に提供したりはしません。自分の得になるならしますが、得にならないならしません。

また、人生の悪い所に注意を向けているので、心の中は不平不満でいっぱいです。でも、その現実を変えるために新しいことを積極的に行おうとはしません。変化を恐れ、変化に抵抗しますから、「(自分ではなく）他人が変わるべきだ」とか、「世の中が変わるべきだ」と思っています。現実が不満でも、みずから進んで成長しようと何かに取り組むことには消極的な傾向があります。

## 傾聴は人の心にどう影響するか

これまでに紹介した４つの強烈な心理的衝動と傷つきの仕組みを踏まえ、傾聴が人の心にどう影響するかについてお伝えします。

誰もが、「そのままの自分のことをわかってほしい、大切に思ってほしい」と強烈に求めています。それが無条件の愛を求める衝動です。

そして傾聴とは、その衝動を高い程度に満たす人間関係を提供する営みです。

傾聴がもたらす人間関係において、私たちは「聴き手は自分のことを共感的に理解しているし、自分を大切に思ってくれている」と感じます。

その実感が強いほど、「自分を表現したい」衝動に従って、自分の本音を正直に語りたくなります。

自分のことを素直に語り、それがさらに共感的に理解されると、自己成長力、自己治癒力が働き、感情を抑圧していたものが徐々に緩んでいきます。苦しみなど本音の感情を語りはじめ、苦しみの原因となっていた心の痛みをみずから探求し始めます。その探求が進むにつれ、それまで自分を制限していた思い込みが徐々に緩み、現実的な考えへと変化していきます。

例えば、無意識下にあった「心を開くと傷つけられるから、心を開いてはならない」という頑で極端な思い込みが、「心を開くと責める人もいるし、わかってくれる人もいる」という、より柔軟で現実的な考えへと少しずつ変わるかもしれません。わずかでも閉ざされていた扉が開いてくるイメージです。

または、「自分のことは自分でしなければならない」という思い込みが、「すべて自分でしようとするよりも人に頼るほうが意外とうまくいくことが多い」という考えへと変わっていくかもしれません。

「自分は人に愛される価値がないし、誰も自分を評価してくれないから自分は価値のない人間だ」という無意識下にある極端な思い込みも、「自分もほかの人と同じだけ人に愛される資格があるし、自分を評価してくれている人もいる」という、より現実的かつ受容的に変化するかもしれません。

このような心の変化が話し手に生まれるには、聴き手への信頼感が高まらなければなりません。

そのために大切な聴き手のあり方は、次の3つです。

（1）なるべく話し手の身になって共感し理解すること。

（2）「話し手の気持ちや考え方や行動を変えないといけない」とは感じず、そのままの話し手を温かく受け入れ、大切に感じること。

（3）これらの態度が表面的で形式的なものではなく、本音を偽っていかにも共感的で受容的に振る舞っているわけではなく、心の底からそう感じていること。

これら3つのあり方がいつも100パーセント完璧にできることはありません。ただ、聴き手にこれらのあり方ができるほど、そのぶん話し手にとって安心し、心を開くことができる人間関係を提供でき、話し手の自己成長力、自己治癒力が働き始めます。

次の章からは、次の3つを学んでいきましょう。

（1）共感的に理解すること

（2）そのままの話し手を温かく受け入れ、大切に感じること

（3）心の底からそう感じられるよう、聴き手自身が自分の心に素直であること

相手の心に寄り沿う大切な作業です。

# III

# 傾聴に必要な聴き手の3つの特徴

# 1 話し手のことを共感的に理解する

## 傾聴とは、共感的な人間関係を提供すること

傾聴には、聴き手から話し手への理解が欠かせません。ここでいう理解とは、聴き手の物差しを話し手に当てはめて判断することではありません。「この人はうつ病だ」「この人は知能が高い」「この人は自己中心的な性格だ」「この人は前向きで外交的な性格だ」などと決めつけることは、傾聴を妨げます。

傾聴に必要な理解とは共感的理解であり、それは評価や判断ではなく、話し手の経験、感情、考えなどをなるべく話し手の身になって理解することです。

傾聴で大切な共感的理解について学ぶため、ある実例を挙げてみます。

例

## 怒る母親

ある母親が、中学校の担任の先生に電話をかけてきました。娘さんがクラブ活動について期間付きの謹慎処分になったことへの、怒りの電話でした。母親は、クラブの顧問の先生のことを激しく批判します。すると、担任の先生は「顧問の先生はそんなに悪い先生じゃありませんよ」と反論しました。母親はそれを聞いていっそう激昂し、「教育委員会に訴える！」とまで言い出したのでした。

担任の先生では手に負えなくなったので、教頭先生が代わりました。教頭先生は、「なぜこのお母さんがこんなにまで怒るのか？　彼女の気持ちを、なるべく彼女の身になって理解できるように聴いてみよう」と決めました。

それからは、母親の話す内容が正しいかどうかを判断するのではなく、母親の気持ちに理解を示す応答を続けました。そして「『大切なお嬢さんが邪魔者扱いされた』と感じてお母さんはすごくおつらかったんですね」といったように、理解的な応答に徹しました。

　すると母親は少し冷静になり、教育委員会に訴えることはしませんでした。そして後日、教頭先生のさらなる仲介によって事態は収まりました。


　その母親が怒っていたのは「娘が邪魔者扱いされた」と感じたからでした。さらに、本心は、邪魔者扱いされたことで母親の子育てが否定されたように感じて傷ついていたのです。

　もし担任の先生がそのまま対応し続けていたら、どうなったでしょうか。先生は謹慎処分が正当であった理由をあれこれと並べてしまい、母親は教育委員会に訴えを出していたでしょう。教頭先生が理解を示す対応をしたからこそ、母親は「私の子育てを否定することなく真剣に受け止めてくれている」と感じたのでしょう。

　このように、共感的に理解してもらえると安心感が増すのです。

# 援助したい気持ちを押しつけない

傾聴を実践するときには、話し手が表現している感情を味わおうとすることが大切です。それが不十分なまま「話し手の気持ちを変えよう」「話し手の問題を解決してあげよう」と考えてしまうと、かえって話し手の支えになることができなくなるのです。これは、とても大切な聴き手の心構えです。プロのカウンセラーの例を通して考えてみましょう。

カウンセラーのもとを訪れるのは、どうしようもない苦しみを抱えた人々です。彼らの苦しみの原因が解消されるよう、そして苦しみが減るようお手伝いをすることがカウンセラーの仕事なのです。ところが、カウンセラーが来談者に対し「治そう」「癒そう」「ラクになってもらおう」「笑顔になってもらおう」とすればするほど、来談者の助けにはなれなくなってしまいます。

ある経験の浅いカウンセラーは、「私の相談ルームに来るすべての人には、笑顔になって帰ってほしい」と話していました。しかし、カウンセラーがそんな意図を持って話を聴こうとしてはいけません。とても笑顔になれないような、とても深い苦しみを持つ来談者だっているからです。「笑顔になってほしい」という気持ちを押しつけられてしまうと、来談者は落ち着くことができず、自分の心をじっくり吟味して言葉にすることが難しくなります。

時にはカウンセラーの意図を察した来談者が「ラクになりました」など耳触りの良いリップサービスを言うかもしれません。しかし、本当に心がラクになったわけではありませんし、そもそもの悩みの原因を解決できたわけでもありません。

カウンセラーが意気込んでしまうと、来談者はカウンセラーのペースに気押されて、心を開いて話すことができなくなります。心の深い痛みもわかってもらえず、笑顔とはほど遠いカウンセリングとなってしまいます。

傾聴の場面でも、聴き手が話し手を直そう、変えようとするほど、話し手の心を遠ざけてしまいます。大切なことは、「話し手を救おう」とか「話し手の気分を良くしよう」とすることではなく、話し手のことをなるべく話し手の身になって共感的に理解することなのです。

## 共感と感情に飲み込まれることは違う

共感とは、話し手の感情を話し手のこととして味わうことです。その反対に聴き手が怒りだしたり絶望したりするのは、感情に飲み込まれた状態であって、聴き手自身のなかにある、癒されない心の痛みが刺激されている状態です。

例えば、あなたの小学生の子供が、担任の言葉によって傷ついたとします。その事についてて子供があなたに話したとしましょう。このとき子供が求めているのは、傷ついている気持ちへの共感であり、傷ついている自分を大切に思ってもらい受け入れてもらうことです。あなたまでが傷ついて激怒し、担任に怒鳴りこむのは決して共感ではありません。子どもの傷つきを、「あたかも子どもになったかのように」想像し、感じ、味わう、という共感の過程を経ているのではないのです。子供をきっかけにあなた自身の中にある過去の癒されない傷つきが出てきて、その痛みが辛くて担任に怒鳴りこんでいるのです。

子供が「親から担任の先生に働きかけてほしい」と望んでいない限り、担任の文句を言うたびに親が学校に怒鳴りこむのは、子供にとってひどく迷惑なことです。「こんなことなら、お母さんに話さなきゃよかった」と後悔してしまうでしょう。

子供の怒りの気持ちに共感することと、親自身が怒り出すことはまったく違います。親に子どもの気持ちを理解して受け止めるゆとりがないと、子どもは安心して本音を話すことができなくなります。

また、傾聴の研修をすると、参加者から「私は離婚の経験がないのですが、離婚の苦しみを語る人の傾聴はできるでしょうか？」という質問が出ます。

話し手のことをできるだけ話し手の身になって理解しようとするとき、あなたが話し手と同じ経験をしたことがなくても、話し手の感情を想像して味わうことはできます。

話し手が離婚の辛さを語ったとします。あなたは離婚したことがなかったとしても、その辛さと同じ感情を感じたことはあるでしょう。別離の苦しみ、孤独の不安、将来への不安、挫折の苦しみ、「自分が人間としてダメなんじゃないか」「異性として魅力がないんじゃないか」という劣等感などです。かつて感じたそれらの感情のおかげで、話し手の苦しみをできるだけありありと想像することができます。そして、これが共感です。

## 人間に共通する感情

話し手が語っている出来事について、あなたは同じ経験をしたことがなくても、同じ感情を感じた経験は持っています。共通する感情としては、次のようなものがあります。

**楽しい。**
**うれしい。**
**悲しい。**
**寂しい。**
**悔しい。**

また、同じような心の声もあなたは感じているはずです。

**自分のことを表現したい。**
**愛情と関心が欲しい。**
**認めてほしい。**

**わかってほしい。**
**嫌われて傷ついた。**
**自分はダメな人間じゃないか。**
**自由でありたい。**
**ラクな気持ちでいたい。**

こうした感情について話し手が話しているとき、その感情を話し手の身になって想像し味わうことが、傾聴では大切なのです。

話を戻し、離婚の苦しみに共感することについて考えましょう。

あなたに離婚経験があった場合、離婚した人の経験を想像しやすくなる可能性はあります。離婚すべきかどうかを決めなければならない重圧、決められないイライラ、離婚後の生活についての不安、離婚の交渉、子どもにどう話をするか、養育権を巡る争い、法的な手続きなど、離婚を経験して初めてわかることはたくさんあるでしょう。ですから、あなたが話し手と同じことがらを経験していれば、話し手の経験をより理解しやすくなる、ということはあるかもしれません。

それでも、離婚がその人にとってどんな意味を持ち、どんな感情をどれくらい強く感じるかなど、離婚の個人的な経験はみんな違っています。あなたの離婚経験と、目の前の話し手にとっての離婚経験は異なって当然なのです。

話し手にとって離婚がどんな経験であるかを教えてもらうことが傾聴です。

離婚だけでなく不登校、入院、いじめ、家庭内暴力など、話し手と同じ出来事にあったことがあるかどうかにこだわることなく、その出来事についての個人的な経験を教えてもらうよう努めるとよいでしょう。

表面的には同じ経験をした人が、かえって話し手の気持ちを早とちりし、理解を誤ることもよくあります。話し手が離婚について語るのを聴いているとき、自分の経験と同じだと思いこんでしまうと、話し手がわかってほしいことを正しく理解できなくなります。

同様に、話し手が子育ての苦労を話すとき、あなたに子育ての経験があると、あなた自身の子育てに関する苦しい感情がわき上がり、話し手の苦労を話し手の身になって理解するゆとりを失うこともあり得ます。「うん、そうよね。わかる、わかる！」と言いながら聴いていても、話し手が訴えている苦しみを正しく理解していないことがあるのです。自分自身の苦しい感情にとらわれてしまうと話し手が伝えたいことを誤解し、聴き手自身も辛くなってしまいます。

## 大切なのは話し手の個人的な経験

共感において重要なのは、離婚、不登校、入院といった悩みの表面的なことがらではなく、それらのことがらに関わる個人的な経験です。

例えば、「ひとり親だと子どもに悪い」とか、「両親がそろっていれば良い」ということはありません。子どもにとって重要なのは、ひとり親か、親がそろっているかという表面的なことではなく、安定した無条件の愛情を高い程度に感じ、安心できているかどうかです。

同様に、話し手が葬式に参列した話をしたとします。そう聞いただけで「悲しいですね」と答えたのでは傾聴になりません。それでは表面的すぎるでしょう。

葬式に参列して悲しんでいるとしても、故人を失ってなぜ悲しいのか、そしてどれくらい悲しみが強いのかは人それぞれです。もしかすると、内心では「ざまあみろ」と思っているかもしれません。

話し手にとってどんな経験であるかを教えてもらおうとするのが傾聴です。早とちりしたり決めつけたりせず、じっくりと耳を傾け理解するよう心がけましょう。

またよく誤解されるのですが、話し手の言うことにあなたが個人的に賛成したり、正しいと判断したり、話し手を褒めたりすることも傾聴ではありません。

私たちはしょっちゅう、自分の基準をもとにして物事を判断しています。あなたが今読んでいるこの本についても、「面白い」「つまらない」と判断しているはずです。

しかし、傾聴するときには、あなたの個人的な判断は横に置いて、話し手がわかってほしいことをなるべく話し手の身になって理解しようと心がけましょう。

## 外からレッテルを貼らず、共感的に理解する

私たちは物事についてレッテルを貼り、意味づけをしてしまうこともしょっちゅう行っ

ています。日常の会話では、次のように話し手についてレッテルを貼ることも少なくありません。

**「この人は神経質だなあ」**
**「おしゃべりで外交的な人だ」**
**「愛情が薄い親に育てられたに違いない」**
**「自己中心的な人だ」**

しかし、話し手についてレッテルを貼ることは、傾聴に役立ちません。

仮に、あなたが昨夜大失恋をし、とても辛くて落ち込んでいるとします。そして、その苦しさを信頼している人に打ち明けました。あなたの苦しさをわかってもらえず、「あなたは気分の浮き沈みの多い人です」と診断されたとしても、心の支えにはならないでしょう。

それは、聴き手が自分の物差しであなたを判断してラベルを貼るわかり方であって、これまで説明してきた共感的な理解とは正反対だからです。

プロのカウンセラーによっては、「心理テストによるとあなたはこういう人です」と、来談者に何らかの判断を権威的に伝えることがあるようです。

医師の診断の一助として、判断することが必要な場合はあるでしょう。しかし、そのようにカウンセラーの物差しで判断されるとき、「自分のことを本当にわかってくれている」とは感じられないはずです。上から判断を押しつけられても、心の葛藤や苦しみが根本的に解決されることはなく、自分らしく生きるための変化が起きることもありません。

**傾聴するときには、話の内容を聴き手の物差しで判断するのではなく、話し手がわかってほしいと願っていることを、なるべく話し手の身になって理解しようとします。**

例えば、心理学に興味を持っているあなたに対し、話し手が「心理学は大学生のときに取ったよ。でもつまらなかった」と語ったとします。

このとき、話し手は発言を通して何を表現しており、何をわかってほしくてそう言ったのでしょうか？

ひょっとしたらその話し手は、かつては心理学に関心があったのに、大学の授業で期待が裏切られてしまい、その時の失望と落胆をわかってほしいのかもしれません。

「心理学の勉強では心の苦しみを解決できない」と言いたいのかもしれません。もしくは「私は心の苦しみにあえいでいる。だからラクになりたくて心理学の授業を取ったけど役に立たなかった」という心理学への不満や、大学生の頃から長年にわたって苦しみにあえいでいることの辛さを表現している可能性もあります。

もしかしたら、その人はあなたに対して怒りを抱いており、心理学の悪口を語ったのは、あなたへの怒りを理解して受け止めてほしい気持ちの表現なのかもしれません。

このように、「話し手は何を表現しているのだろう、何をわかってほしいのだろう」と考えることが、傾聴における関心の持ち方です。

**傾聴とは、話し手が表現していること、伝えたいことや気持ちを、できるだけ話し手の身になって想像して理解し、理解したことを相手に言葉で返すことです。**

傾聴において大切なことの1つ目が、ここまでで学んだ共感的理解です。つぎに、大切なことの2つ目、「そのままの話し手のことを大切に感じ、受容する」ということについて深く学びましょう。

# 2 そのままの話し手を受容する

## 話し手のそのままのあり方を尊重し受け入れること

人生を豊かにするのは富でなく、愛であることを描いた『3つの真実』（野口嘉則著）において、老人はこのように語ります。

子どもに教えてあげなさい。

『君はそのままで素晴らしい存在なんだ』と。

子どもの自尊心は、

いい成績を取って褒められたときに満たされるのではない。
悪い成績を取っても抱きしめられたときに満たされる。
学校へ行けなくても抱きしめられたときに満たされるのじゃ。
いいことをしたからでも、いい結果を出したからでもなく、
自分があるがままで、そのまま無条件に受け入れられたときに、
その子の自尊心は満たされるのじゃ

失敗しても、欠点があっても、無条件に尊重してもらうことが大切なのです。そして、私たちは誰もが、「そのままの自分を受け入れ、認めて、そして大切に思ってほしい」と強く願っています。

私たちの文化には、道徳的、社会的に「正しい」とか「立派だ」とされる感情、考え、行動があります。「人には優しくすべきだ」「感情的になるのはみっともない」「勤勉でなければならない」などです。

それらの観念に合わない感情、考え、行動に対しては、自分自身についても他人についても、見下したり裁いたりしているものです。誰もが程度の差はあれ、「〜すべきだ」とい

った道徳観念や社会的な望ましさに沿うよう自分を縛り、不自由になっているのです。

私たちの心には、「べき」に合わない思いもあります。人を軽蔑したり、腹を立てて感情的になったり、親や教師が子どもをかわいいと思えなかったり、やるべきことでもやる気になれず怠惰だったり……。人の本音を扱うときには、「正しいこと」ばかりではなくなります。人の本音には「正しくない」さまざまな気持ちがあるからです。

私たちの日常生活でも同じです。真面目でカタいテーマの本を熱心に読むのは立派なことかもしれませんが、テレビを観て笑ったり、漫画を読んで床を転げまわることもあるでしょう。

私たちの本音には「べき」や「正しいこと」に反する気持ちがあります。そして、「べき」の正論を言われてしまうと、本音が話せなくなってしまいます。

## 本音を聴くとき、むやみに正そうとしてはいけない

職場における上下関係について、部下は特に上司など目上の人に対し「自分のことをわ

かってほしい」「そのままの自分を大切に思ってほしい」と強く願うものです。自分の正直な思いを表現したときには、それを尊重して大切にしてほしいのです。本音をわかってくれて大切にしてくれる上司には心を開きたくなります。

上司はリーダーとしての責任を負っています。「正しいことを教えて引っ張っていく」重要な責任であり、それを遂行するのはとても大切なことです。ただ、この責任のせいで、部下が本音を話したときにも「正しいかどうか」「そうするべきかどうか」「そう感じるべきかどうか」を教え、正そうとしてしまうことがあります。

しかし、私たちが本音を話すとき聴き手の物差しで「正しい」「正しくない」を判断してほしくはありません。私たちのことをなるべく私たちの身になってわかってほしいはずです。

本音を話したのにわかってもらえないと、それだけで傷ついてしまいます。さらに、本音を矯正されそうになるともっと傷つきます。すると私たちはその人に心を閉ざし、本音を話さなくなります。

生徒と先生の関係においても同じです。

学校教育において生徒指導は必要不可欠です。しかし、生徒を心の苦しみから救うには、指導だけではなく、生徒の気持ちを生徒の身になって理解し、共感し、受容することも必要です。それが不十分だと、生徒は先生から心を閉ざしてしまいます。

どんな人にも二面性があるものです。勤勉なときもあれば、怠惰なときもあります。温かく優しいときもあれば、冷たく厳しいときもあります。穏やかなときもあれば、気が立ったりするときもあります。人を庇うときもあれば、責めるときもあります。利他的な側面と利己的な側面の両方を持っています。

世の中の倫理や道徳は、人間のそんな本質に反しています。「勤勉であるべきだ」「温かく優しい人間であるべきだ」「落ち着いて穏やかでいるべきだ」「利己的なのはいけない。人のためを思うべきだ」のように、人の片面だけを「良いもの」とし、その反対の面を「悪いもの」として、「良いもの」を常に求めます。倫理や道徳は、人間の本質に背く不自然なものだと理解しなければなりません。

## 罪悪感は私たちの心をゆがめ、愛を閉ざす

「倫理や道徳は人間の本質に背く不自然なものだ」と書くと、多くの人は「倫理や道徳がなくなれば人は自分勝手になる。他人のことは考えず自分の欲求ばかりを満たそうとするようになる」と反論するでしょう。多くの人は、「間違った」行動に対しては倫理や道徳で責めて罪悪感を抱かせ、行動をコントロールすることが必要であると信じています。この信念が強い人ほど、「悪いこと」をした人を激しく非難します。おおっぴらに非難せずとも、心の中で密かに非難しているのです。

そしてそういう人は自分自身に対しても「ああであるべきだ」「こうであるべきだ」と倫理や道徳を課しており、不自由です。その分「自分は道徳的に優れている」という隠れた優越感も持っていますが、この優越感には、ほかの人への軽蔑心も含んでいます。

そのように批判的になるほど、共感的な理解が難しくなりますから、傾聴はできません。

また、倫理や道徳に縛られていると、親しい人にも心を開けなくなります。例えば、「大

切な人に愛や感謝を伝えることが恥ずかしくてできない」という思いは多くの人に共通するものです。その最大の原因は、密かな罪悪感であることが多いのです。

普段は自分でも気付いていなくても、隠れた罪悪感を親に対して持っている場合があります。「あのとき親にひどいことを言って傷つけてしまった」「ボクは良い子じゃなかった」「親の期待に応えられずがっかりさせてしまった」など、罪悪感があると、申し訳なさ、自信のなさが先に立ち、親の目を見て愛や感謝を伝えることに引け目を感じてしまいます。

罪悪感は心をゆがめ、その人本来の輝きを失わせ、愛を閉ざしてしまうのです。

## 虐待をする親への批判と軽蔑心

例

### 春の川辺の老夫婦

ある春の日のこと。近所の小川を鴨の親子が仲良く泳いでいました。とてものどかな光景で、人々が川辺から鴨の親子を眺めています。

私の隣には年配のご夫婦がいました。旦那さんが奥さんに、「子どもを虐待したり育児放棄をしたりする親にこれを見せてやりたいわ！　鴨から学ばせないとダメじゃゃ」と軽蔑の笑いを浮かべて言い、奥さんも「そうよねぇ」と答え、2人は去って行きました。

虐待や育児放棄の事件に心を痛めるのは当然です。虐待をする親を裁きたくなる気持ちになるのも当然でしょう。

しかし、そのように道徳で人を裁く考えこそが、ゆとりを失った若い親たちを追いつめ、問題の解決を遅らせているのです。子どもを虐待したり育児放棄をしたりする親は、虐待をする自分に対して強い罪悪感、憎しみを持っています。

彼らが虐待をするのは、「虐待はいけないことだ」と学んでいないからではありません。罪悪感の苦しみが激しすぎて、自分の中の愛が閉ざされているからです。罪悪感が強すぎると子どもに向き合うことができなくなり、子どもをかわいいと感じたり、子どもの気持ちを慮《おもんぱか》ったりする心のゆとりも乏しくなっているのです。

秘められた罪悪感は、心の痛み、苦しみのとても大きな原因の1つであり、自分を傷つけ人を傷つける原因でもあります。罪悪感が大きい人ほど、かえって自分や自分の子どもを傷つける行動をしてしまうのです。

私のもとに来談した多くの方が、長年も抱えてきた罪悪感を解消し、心が軽くなっておられます。ある女性来談者は、子供に対する罪悪感をかなり減らすことができ、「心が軽くラクになったし、子どもとの関係を肯定できることに静かな喜びを感じています」と教えてくださいました。

親は子どもへの罪悪感が軽くなるほど愛が解放され、子どもを愛おしく感じられるようになります。同様に、家族、友だちなど人への愛が解放され、大切な人に対して愛と感謝を素直に表現することができるようになります。

罪悪感を解消すると、自分への愛が大きくなるし、人間関係も、楽で、豊かで、いっそう喜びをもたらすものになるのです。逆に罪悪感が強いほど自己肯定感が低くなり、自信がなくなり、委縮してしまい、自分の良さをのびのびと発揮して生きることができなくなります。

私たちが道徳的、社会的な縛りから自由になり、自分らしく生きられるようになるためには、ありのままの自分が無条件に尊重され、受け入れられることが大切です。どんな人間関係においても、これは同じです。

世間的に「正しくない」とされる自分の気持ちや行動について正直に語ったとき、聴き手から「ダメだ」と思われることもなく「変えよう」とか「直そう」などと諭されることなく、ありのままで理解され、受け入れられ、無条件で尊重される――。そんな人間関係の中にいると、私たちは自分に素直になれます。そしてもっと本音を語り表現したくなります。

そうして本音を語るにつれ、「人と仲良くしたい」という願いや、人の幸せを願う気持ちが現れます。自分を大切にする、成長への意欲に満ちた自分が徐々に現れ、育ち始めます。

次に、傾聴において問題となりやすい、悩みごとへのアドバイスについて考えていきます。

## 傾聴におけるアドバイス

悩みごとを相談されたときは、アドバイスをしたくなるのが人情というものです。

特に男性は、悩みごとを打ち明けられると「どうやってそれを解決すべきか」と考え、すぐにアドバイスをしようとする傾向があります。その行動の底には、「良いアドバイスができないと男として無能だ」という気持ちが潜んでいるのかもしれません。女性でも、自分を有能に見せるために他人にアドバイスをすることはしばしばあるでしょう。

アドバイスのやり方の一つとして、自分の体験の中から似たような体験談を選び出し、「あなたも私と同じようにして問題を解決すればいい」と教えることがあります。これには、似た経験を語ることで「私もあなたと同じ境遇にいたんですよ」と伝え、親近感やつながり感を感じてもらおうという意図があるのかもしれません。

しかし、相談されたときに自分のことを話しても私たちが期待するようなつながりは生まれません。それよりも、話し手の気持ちを話し手の身になって理解すると効果的です。話し手にとっては「自分のことをわかってもらえている」という実感のほうが、よりつながり感を感じることができるのです。

話し手を理解することを後回しにしてまず自分の話をしても、意外と役に立たないことが多いものです。

次に例を挙げます。

例

## 教授に相談したある大学生の経験

ある大学生がこんな経験を話してくれたことがあります。

彼は、「友だちができない」という悩みごとで大学の相談室を訪れました。相談室は大学教授らが交代で相談にあたっており、彼を受け持ったのは英文学の老教授でした。

その教授は、「友だちなどいなくてもいいんだよ」とアドバイスするとともに、教授自身も大学生のときは友だちが少なかったことを話しました。しかしそれでも勉強に打ち込んでがんばったことを話しました。そして、「君も打ち込めることを見つけなさい」とアドバイスしたのだそうです。その大学生は「貴重なお話をありがとうございました」

と丁重にお礼を言って相談室を後にしたとのことでした。

ひょっとすると老教授は「良いアドバイスをして悩める若者の力になれた」と思っていたかもしれません。しかしその学生にとって、教授のアドバイスは何の役にも立ちませんでした。

だからこそお礼を告げてさっさとその場を離れたのでした。


これが本音です。ただ自分の体験を話すだけのアドバイスでは、悩みを解決することはできないのです。

どんなアドバイスをしようが、結局話し手は自分がしたいようにします。自分を理解していない相手からのアドバイスであれば、なおさらです。

次に、相談者の心を理解できずアドバイスをし、援助に失敗したカウンセラーの事例をお伝えします。

例

## 就職課に行かない大学生たち

ある大学の学生相談室で働くカウンセラーが、こうグチっていました。「就職活動が不安で相談に来た学生たちには、大学の就職課に行くようアドバイスするんです。就職課に行けば、就職活動の仕方とか、履歴書の書き方、面接の受け方などを教えてもらえるし、会社の求人情報などもたくさんありますから。ところが学生たちはその通りにしないんです。どうしてでしょうかねぇ？」

大学生たちがアドバイス通りにしないのは、それが的外れだからです。カウンセラーから就職課に行くようアドバイスされた学生たちがもし本音を話せていたら、なぜ就職課に行かないのかについて、さまざまな理由を言うでしょう。そしてこのカウンセラーであれば、それらの理由に反論したかもしれません。考えられる対応を2つ挙げてみます。

**《学生の本音とカウンセラーの反論　１》**
**学生１「どんな就職先がいいかすらわからないんです。だから就職課に行っても相談しようがなくって……」**
**カウンセラー「だからこそ適性検査をしてもらえばいいんですよ」**

**《学生の本音とカウンセラーの反論　２》**
**学生２「履歴書も書けていないし……、こんな状態で行っても叱られます」**
**カウンセラー「完璧な履歴書はいらないから、とりあえず書けるだけ書いて持っていきなさい。それに、叱られるなんて気にする必要はありません」**

## アドバイスに従わないのには理由がある

このカウンセラーが言っていることは正論です。しかし正論を主張しても役に立ちません。カウンセラーがわかっていないのは「学生たちが就職課に行かないのは、行っても解決しないから」という事実です。彼らがアドバイスに従わない理由として、次のものが考えられます。

**●対人恐怖症**

実は大学生たちは激しい対人恐怖症に苦しんでおり、学生相談室にだけは何とか来ることができたのかもしれません。そんな彼らにとって、就職活動や面接は恐ろしすぎてとてもできないはずです。ですから就職課に相談に行ったところで、就職課が提供するサービスを活かして就職活動をすることはできないでしょう。

**●うつ症状**

大学生たちはうつ症状の苦しみのため、積極的に行動ができない状態なのかもしれません。もしそうなら、必要なことはうつ症状への手当であり、就職課に行くことではないでしょう。

**生きる目的や目標がわからない**

大学生たちは、そもそも生きる目的も気力もないのかもしれません。その深い苦しみが問題であれば、就職課に行ってもどうしようもありません。

大学生たちがカウンセラーのアドバイス通りにしなかった理由として、他にもさまざまなものが考えられるでしょう。いずれにしても、話し手がアドバイスに従わないのは、聴き手の理解が足りず無益なアドバイスをするからです。

## 正論が話し手の気持ちを疎外する

私たちが人に悩みを打ち明けるときは、解決策を教えてほしいというよりも、まずは「気持ちをわかってほしい」と求めていることが少なくありません。本当に悩み苦しんでいることについて、解決する魔法などないことはわかっているのです。

このことに関連する私自身の体験を例としてお伝えします。

例

### 正論を伝えてしまったために……

ある男性からこんな相談を受けたことがあります。

「プロの心理カウンセラーになりたいけど、どうすればいいでしょうか？」

彼の希望を詳しく聞くと、彼の場合は大学院に行って臨床心理士を目指すのがいいと思えたので、そうアドバイスをしました。しかし、彼は時間とお金の都合で大学院は無理だと言います。

しばらく経ってから、その男性が「大学院に行かずにプロのカウンセラーになりたいけど、どうすればいいでしょう？」と再度相談に来ました。私は内心、（「医学部に行かずに心臓の手術をしたい」と言っているようなもので、そんなの無理だ）と思い、少しいら立ってきました。そして再び、「大学院に行くことが必要だ」と答えました。

彼は私の答えが不満だったようです。「古宮先生は大学院にこだわるのでガッカリしました」とのことで、二度と相談には来ませんでした。

私の答えは、理屈としては正しかったと思います。ただ、それを伝えても相手の助けにはなりませんでした。

男性の「カウンセラーになりたい」という訴えの底にあった本当の願いは、「自身の心の苦しみを解決したい」とか、「人から頼られ、尊敬されることで自己無価値感から逃れたい」というものだったのかもしれません。

彼自身、そんな思いには気付いていませんでした。私がもっと彼の心に寄り添って傾聴を重ねていれば、彼は自己無価値感などの苦しみを話せるようになったでしょう。そして、プロのカウンセラーになろうとする手順が本当に彼にとって最善かどうか、より現実的に検討できるようになったかもしれません。

しかし、私が「大学院に行かずに彼がしたい種類のカウンセリングをしようなんてとても無理だ」という認識にとらわれていたために、彼の苦しみに共感できず理解することができなかったのです。

聴き手が「正しい」アドバイスをすると、話し手は疎外感を感じるような結果になりがちです。話し手の深い苦しみをわかってもらえないからです。

悩みを抱えて苦しんでいる人には、正しい意見や情報よりも、話を聴いてもらい、気持ちをわかってもらうことがあります。

ですから、悩んでいる人からアドバイスを求められたとしても、単に正解を答えて終わりとしてはいけません。「そのことで気になることがあるの？」とか「もしよかったら、どうしてそれが知りたいのか教えてくれますか?」と尋ねることで、より深い話がしやすくなるでしょう。

そして彼らが心を少し開くことができたら、時間の許す範囲でじっくり話を聴きましょう。より有益な対処法を彼らが見つけたり、元気を取り戻すきっかけになるかもしれません。そのほうが、アドバイスより有益となることも多いはずです。

## 前向きなアドバイスでも慎重に行う

私たちは悩みごとを相談されると、励ましたり慰めたりして、苦しい気持ちから相手を救ってあげたくなるものです。相手が喜びそうな言葉をかけ、前向きにアドバイスをしてしまうこともあるでしょう。しかし、それが本当に相手のためかどうか、慎重にならなければなりません。

例として、学校で実際にあった出来事を見てみましょう。

例

## 「不登校は悪いことじゃありません」と説明する担任

子どもの不登校について悩む母親が、担任の先生のもとへ相談に来ました。先生は職員室で「不登校は悪いことじゃありません」と自信たっぷりに説得しました。お母さんは、自信たっぷりにそう断言してくれた先生に対し、「ありがとうございます」と、まるで教祖さまを拝むかのように何度も礼を述べながら学校を後にしました。その後すぐ、その生徒は退学したそうです。

その先生は、生徒の適性などを的確に見抜き、「学校に行くよりも異なる道に進むほうがいい」とわかってアドバイスしたのかもしれません。また、先生のアドバイスのおかげで、退学した生徒はもっと自分に合う進路を見つけることができたかもしれません。

しかし実際には、何が子どもに向いているか、選んだ進路によって子どもがどうなるかを完璧に判断できることはありえません。「不登校は悪いことじゃありません」と断言した先生は生徒を苦しみから一時的にでも救おうという思いからでしょう。またそのとき、担任は「強く正しい絶対的存在になり、相手の尊敬を得て自己価値観を感じたい」という欲求もあったかもしれません。

私たちが人生において本当に苦しんでいるとき、簡単に教えられる答えなどないものです。

悩みごとを打ち明けられたときには、すぐにアドバイスをしたり、結論を急いたりせず、まずは話し手があなたに伝えたいことをよく聴いて、話し手の気持ちをできるだけ理解するよう努めましょう。その場しのぎの励ましや慰め、自分の自己価値感を満たすためだけのアドバイスは無責任となってしまいます。

## 「叱ることも必要だ」という意見

「話を聴いて気持ちをわかってあげるよりも、叱ったり厳しいことを言うことが必要だ」という意見があります。関係性によってはそれが正しいこともあると思います。ただ、そういった場面は多くはないでしょう。

ときに人は、叱られることですべきことに気づいたり、厳しいことを言われて「なにくそ」と這い上がったりします。そうなるためには、叱られる人に「何としてでもこの技術を身につけるんだ」とか「何があってもこの人に着いていって成功するんだ」というような必死さが必要です。

しかし、私たちはそういった必死の経験をほとんどの場面で持っていません。あらゆることにそこまで必死に取り組んだりしたら、ストレスが高すぎて早死にしてしまうでしょう。

また、叱る人と叱られる人の間に、高い信頼に基づく人間関係があることも必要です。叱られる人は、「この人に言われるなら聞こう」と思うからです。そんな関係を築くためには、叱るほうにも信頼されるだけの努力が必要だし、叱られるほうにも相手を信じる覚悟が必要です。ほとんどの人間関係には、そこまでの努力も覚悟も互いへの思い入れもないでしょう。

ですから、「叱ったり、厳しいことを言ったりすることが必要だ」と主張する人だって、もし自分が、職場、家庭、飲み屋など、あらゆる場所で「おまえはここが悪い、あそこがダメだ、あれも拙ない」と厳しいことを言われたら、きっと嫌になるでしょう。

私たちが「叱ったり、厳しいことを言ったりすることが必要だ」と感じるのは、その人が自分の思うようにしてくれないイライラがあるときでしょう。そのイライラの底には不安があることも多いのです。そんなときには、本当に相手のためを思うなら、イライラをぶつける説教や叱責ではなく、その底にある不安を素直に伝える言葉のほうが、相手には受け入れやすいものです。

例えば、相手が物事に取り組まないことが原因であなたがイライラしているとします。そのイライラの底には、「そうしないのは相手にとって悪いことになる」という不安があるはずです。どんな悪いことを恐れているのか、自分の気持ちを明確にし、自分の不安として伝えるほうがコミュニケーションはうまく行きやすいものです。

## 複雑な感情も受け入れよう

人は、矛盾する思いを同時に抱くものです。矛盾する思いが苦しみの原因になることはとても多く、また、両方の思いにはさまれて動けなくなることもあります。

例えば、家族の葬儀に参列している人が死を悲しむ気持ちとともに、その人が亡くなってホッとする気持ちも同時に抱いていることは少なくありません。

家族が亡くなった悲しみは自覚しやすく、話しやすいものです。しかし、「ほっとした」とか「せいせいした」という思いは無意識だったり、心の奥に沈んでいるものです。本人でも気付くまでに時間がかかるかもしれません。しかも、それを人に話すことはいっそう難しいでしょう。

同様に、障害児を持つ母親がある日「この子が生まれてきてくれてよかった」と話したとしても、次の日には「本当は五体満足な子どもが欲しかった」と言うかもしれません。その両方が本当の思いかもしれません。

このように、私たちの心は相反する気持ちの間を揺れ動くことがあります。そして話し手が本音を話しているときには、こうした矛盾する思いが表れるようになります。

傾聴においては、話し手の置かれた環境を理解し、そのまま受容することが大切です。

例えば、「かわいさ余って憎さ百倍」という言葉があります。そう話す人に「好きなんですか、それとも嫌いなんですか？」と問い詰めたのでは、話し手は本音を語ることができなくなります。

「好きな気持ちもあるし、嫌いな気持ちもあるんですね」とか「この人のことを愛しているけど、あの人のことも愛しているんですね」と、矛盾する思いの両方をちゃんと受容して理解し、その理解を言葉にして返すのが傾聴の応答なのです。

また、私たちの心には自己防衛機能があり、自分自身でも本当の気持ちがわからなくなることがあります。

例えば、大切な人を亡くしたとき、その悲しみが大きすぎて、悲しみを感じられず、涙も出ないことがあります。また、話し手にとって辛い話をしているのに、あたかも他人のことであるかのように辛い感情がともなっていないこともあります。辛い出来事なのに笑いながら話すことも珍しくありません。

聴き手は「来談者は、本当の感情を今、ここでありありと感じて語ることが辛すぎてできない」ということを理解し、そんな心の状態にある話し手をそのまま尊重することが大切です。決して、今の感情をそのまま感じてもらおうとか、話させようとしてはいけません。聴き手がそのような意図を持つとき、話し手にとって聴き手との関係が安全なものではなくなります。そして本当の感情をいっそう感じづらくなり、話せなくなります。

## そのままの話し手を尊重するということ

傾聴を教えていると、誤解されることがよくあります。「傾聴とは話し手を褒めることだ」という誤解です。

私はカウンセリングで傾聴するとき、来談者を褒めたり、勇気づけたり、励ましたり、持ち上げたり、慰めたりはしません。

なぜなら、褒めたり、勇気づけたり、励ましたり……をすれば、その人間関係は深いレベルで安全な関係ではなくなると思うからです。「話し手の何かを褒める」という接し方は、相手に「そのようにしなければ拒絶される」という可能性を感じさせます。励ますことも、「ネガティブな気持ちでいたりするのはいけない」というメッセージを伝えることになりかねません。これらは条件付きの尊重であり、無条件の尊重とは反対のあり方だと思います。

## 私がカウンセリングにおいて目指していること

次の文章は、ニール・ドナルド・ウォルシュ著『神へ帰る』からの抜粋です。私はカウンセリングにおいて、次のような関係の場に来談者の方をお迎えすることができれば理想だと思っています。

---

それは、言葉では表せない感情である。しかし、もし言葉で稚拙に表現しようとすれば、つぎのような感情をすべて同時に感じている、といえるだろう。

温かく抱擁されている、深く慰められている、愛情を持っていたわられている、深く大切に思われている、純粋に宝物のように扱われている、そっと優しく育まれている、深く理解されている、完全に赦されている、すべてが許されている、待ち望まれている、喜んで歓迎されている、完全に価値があると見なされている、うれしく祝福されている、完全に守られている、今すぐ完全な状態にされている、そして、無条件に愛されている。

（古宮訳）

---

相手を常に無条件に尊重し、１００パーセント相手の身になって理解できる、ということはありえないと思います。でも私はカウンセラーとして、目の前にいる来談者のあるがままをただ大切に感じながら、彼らが経験していることをなるべく彼らの身になって共感的に理解しようとしています。そしてそのなかで、前述のような関係を育みながら来談者と話し合いをしたいと願っています。

ここまで、傾聴でとても大切な、話し手が表現していることを話し手の身になって想像し理解すること、そしてありのままの話し手を大切に思うこと、尊重することの大切さについて学んできました。大事なのは、聴き手のそれらのあり方が、単なる形式的なもの、表面的なうそや偽りであったら、傾聴はできないということです。そして、純粋に共感的な関係を築くうえで問題となるのが、聴き手の心にある未解決の傷つきです。

次の章では、傾聴の関係に心から没入する上で大切な、聴き手自身が自分の心に素直であることについて深く学びます。

# 3 自分の心に素直であること

## 傾聴は聴き手自身の心の傷も刺激する

愛情の飢えが極度に深く、感情の激しい女性のカウンセリングをしたときのことです。彼女は、幼少期から続く愛情飢餓の苦しみのために、自分と相手の境界がなくなるような密着した関係を強烈に求める人でした。それが原因で人間関係もうまくいっていませんでした。

私は、彼女とは週に1回のカウンセリングでお会いし、話を聴きました。やがて彼女は私に対しても高い愛情欲求をしめすようになり、心理的にとても密着した関係を求めるようになりました。帰宅する私の後をつけ、家に来ようとしたこともありました。

あるとき、真夜中2時きっかりにとても苦しい気分で目覚めて眠れなくなる、ということが2晩続けて起きました。また、胃のあたりに何かが詰まった感じが1日中ずっと続き、とても嫌な苦しさを感じるようにもなりました。あたかもその来談者から目に見えないホースが伸びてきて、吸盤が私のみぞおち辺りに密着し、「気」を吸い取っているかのように感じられました。とても苦しく嫌な感覚でした。

私はなぜそんな苦しい思いをしなければならなかったのか？　その原因を知ったのは、ボディ・サイコセラピーという、体から入る心理療法を通してのことです。

ある日ボディ・サイコセラピーを受けていたときのこと。突然、私の体の底からカーッと熱く激しい悲しみが湧きあがって来ました。鳥肌が立つような、真っ赤な激しい悲しみのエネルギーです。私はその苦しいエネルギーから逃げず、じっと感じてみました。すると苦しいエネルギーとともに、「有能じゃなければこの世に存在する価値が低い」という考えが浮かんだのです。自分の心の奥深くにそんな悲しい信念があったことに、私は初めて気が付いたのです。

当時の私は、「愛情を求めてくっついて来ようとするあの女性来談者を助けなければいけない」と感じていたし、同時に、「あの来談者から嫌われたくない」と思っていました。それは来談者を求める依存的な欲求です。

依存は、互いに引き合って初めて成り立ちます。どんな強力な磁石も木材にはひっつかないのと同じように、他人から強く依存されて困るのは、自分の中にも相手を求める気持ちがあるからなのです。それは、依存してくる相手への、「好かれたい」「関心を持たれたい」「この人を良くすることによって自分が価値ある人間だと感じたい」といった気持ちです。まさに私はそのような自分自身の欲求のために彼女の「気」をまともに受け、苦しんだのでしょう。

そして、私の心の奥深くにそんな欲求が生まれたのは、幼いころに両親から「お前はダメな子だ」というメッセージを受け取った痛みのためでした。私はその後も自身へのカウンセリングを通し、その記憶やそのときの感情に何度も直面することになりました。苦しさもありましたが、同時に気持ちが軽くなる、解放と癒しの経験でもありました。

話し手が悲しい出来事や気持ちを話しているのを聴いて、自分までが悲しくなって落ち込んだり、涙が止まらなかったりすることがあるかもしれません。そのように強い感情が湧き起きるのは、聴き手の内面にある癒されていない心の痛みが刺激されたときです。

話し手の心の傷と自分の心にある未解決の傷は共鳴し合います。悩み苦しむ人の話を傾聴することで、自分の心にある痛みも刺激されるのです。それがきっかけとなり落ち込んだり、イライラしたり、嫌悪感を覚えたり、という反応が起きます。

こうしたときは、話し手の痛みを話し手の身になって理解しているのではなく、私たち自身の心にある未解決の傷が痛みだしているのです。聴き手の心に癒されていない傷があると、その分だけ話し手を共感的に理解することが難しくなるのです。

## 聴き手の心が傾聴を妨げることがある

傾聴しようとするとき、自分の心に傾聴を妨げるような思いが湧くことがあります。詳しく見ていきましょう。

話し手にイライラしたり、腹が立ったり、批判的な気持ちになったりして、話し手を批判するようなことを言いたくなる、説教したくなる、といったケースがあります。その原因を考えましょう。

例

## 来談者に腹が立つカウンセラー

ある女性の新人カウンセラーが、女性来談者について腹を立てています。せっかく取ってあった予約を直前にキャンセルして延期したり、かと思えば突然電話をかけてきて、「今日の夕方にカウンセリングをしていただけませんか?」と求めてきたりするからです。カウンセラーは、その来談者に振り回されているように感じています。

また、その来談者は看護師志望で専門学校に通っているのですが、同時に風俗嬢として働いています。カウンセラーはそのことも嫌悪しています。

苦しむ人の話を聴こうとするとき、「約束を守らないから」、「風俗店で働いているから」

と嫌悪しては、傾聴はできません。面接日を延期したり、急に会ってほしいと求めたりするところに、彼女が日ごろ、心にゆとりがなく、いっぱいいっぱいの苦しみの中に生きていることが表れています。また風俗店で働いていることも、苦しみの表れかもしれません。

来談者が予約を急に変更すると、カウンセラーには不便がかかります。カウンセラーが「理不尽な犠牲を強いられている」と感じなくて済むよう、キャンセル料を徴収するなどの約束をカウンセリング関係の開始前に取り交わしておくことが必要です。

ただ、カウンセラーの怒りには、それとは別に、約束を守らないことを道徳的に批判する気持ちや、風俗嬢をしていることへの軽蔑心があるなら、それはカウンセラー自身の心が固くなっているということです。そして、カウンセラーのそうした気持ちの裏には、何らかの心の痛みがあるのです。

## 聴き手自身の固い心と過去の傷つき

傾聴するのが難しいとき、話し手に非があると決めつけてはいけません。その理由を自分の中に探し、解決に向けて努力することが傾聴力のアップにも人としての成長にも必要です。

カウンセラーが「かつて学校でいじめられた経験があるけど、気持ちを強く持って乗り越えた」というプライドを持っているとします。でも本当は、いじめられる辛さを感じないよう心を固くして、怒りや悲しみ、寂しさ、惨めさなどの感情を押し殺してきたのです。ほかの誰かが小学生のときにいじめられた過去と辛い気持ちを話しているのを聞くと、「あなたも気持ちを強く持つべきだ」と説教したくなります。すると、話し手の辛さやみじめさを話し手の身になって共感的に理解し、純粋に受容するのは難しいでしょう。

また、話し手が誰かに対する怒りや不満を語っているのを聞くと、私たちも「その人はなんてひどいんだ！」と腹が立つことがあります。第1章でお伝えした、子どもが担任の先生への不満を話すのを聞き、子どもの希望を聞かずに担任に怒鳴り込んだ親がその一例です。それは共感ではありません。この親が怒鳴り込んだのは、親自身の「自分の気持ちを踏みにじられた」「自分のことを守ってくれなかった」「理不尽に叱られた」という過去の怒りが刺激されたからです。

話す内容に私たち自身の未解決の心の問題が絡んでいるとき、共感し受容することはできなくなります。

「理解しようと耳を傾けると自分が負けるような気がする」という人がいます。私たちは「正しくなければならない」というメッセージを親から伝えられて育ちました。ですから、日常の人間関係や仕事などの場面でも、「自分が正しく、相手が間違っていることを証明しなければならない」と思いこんでしまうことがあります。

そんな傾向が強い人の会話は、相手のボールを受け止め、受け止めやすいボールを相手に返すキャッチボールではありません。自分が勝つか、相手が勝つか、というドッジボールになってしまいます。相手を負かそうとして自分の意見をぶつけるのです。

## 男性に課されるプレッシャー

特に男性は、「競争に勝たなければならない」というプレッシャーを強く感じて育つことが多いものです。幼いころから「強くないといけない」「成功しないといけない」「負けてはいけない」と期待されて育てられる傾向にあるからです。

**●男性に課されやすいプレッシャー**

**強くなければならない。**
**正しくなければならない。**
**解決し達成しなければならない。**
**感情は弱さ。理屈は強さ。**
**人との関係は勝つか負けるか。**
**つながるよりも支配する。**
**分け合うよりも勝ち取る。**
**わかることより、わからせることに価値がある。**

傾聴するには、人との交流を「どちらが上でどちらが下か」という勝ち負けで捉えるのではなく、同じ人としてつながることが必要です。

さらに、傾聴においては会話の内容は話し手が決め、聴き手はそれについていきます。話し手が話したいことを話して、自分はそれを理解しようとしてついていくわけです。そのため、話し手をコントロールしようとすれば、傾聴はできません。

傾聴するためには「コントロールしなければならない」という思いこみを手放すことが大切です。勝ち負けやコントロールにこだわるとき、心の底では「そうしないと馬鹿にされる」とか「他人の自分勝手な行動でまずい事態になる」と恐れています。

勝ち負けやコントロールにこだわるほど人は他者との関係が疎遠になります。また、助けが必要なときにも求めることができなくなります。

相手より優位に立とうとする心の不安定さや弱さを手放し、相手の身になって理解するほうが、相手から尊敬も協力も得られるでしょう。

## 心にゆとりがないと傾聴はできない

溺れそうになっている人を救助するときには、まず自分自身が溺れないよう救命胴衣を着け、自分の安全を確保した上で救助する必要があります。そうでなければ２人とも溺れ死んでしまうかもしれないからです。

傾聴にも同じことがいえます。話し手のことを1人の独立した人間として尊重し、話し手が感じていること、考えていること、伝えたいことを、話し手の身になって感じて理解する。そんな営みは、人の痛み、苦しみに共感すると同時に、それらの感情に溺れてしまわない、自立して安定した自分自身を持っていることが必要です。

自分の心の痛みに触れることを恐れ、気付かないうちに心を固くしたり、話し手と距離を取ってしまったりすると、話を聴いても共感できなかったり、ピンと来なかったりすることがあります。

同様に、傾聴の場面で緊張していると、その緊張は何となく話し手に伝わり、話し手は心を開いて話すことができなくなります。私たちが傾聴するときに緊張する理由として多いものは、「上手に聴かないといけない」、「話し手から良く思われたい」という思い込みです。

それらは、私たち自身の心にある満たされない要求のために生まれたもので、傾聴を妨げます。

完璧を求めるあまり生じる不安、コミュニケーション技術のつたなさ、感情移入への恐怖、距離感を保てない不器用さ、人の目が気になるなど、私たちが持つ未解決の心の問題はすべて傾聴を大きく妨げます。「話し手の思いを話し手の身になってありありと理解しよう」「話し手を無条件で受け入れ尊重しよう」とするとき、全方面から人としてのあり方が問われます。

## 自分自身の心の問題を解決する

傾聴では、人間のさまざまな問題に直面します。寂しさ、劣等感、死、性、親との関係、憎悪、罪悪感、権力など例は尽きません。私たちが深く傾聴するとき、自分を正直に見つめ、人間として成長しようとする謙虚さと向上心が大切です。

共感的な理解力を高め、話し手の感情に溺れない独立した自分自身でいるために必要なことは、「強くなろう」とがんばることではありません。聴き手も自分のためにカウンセリングを受け、未解決の心の葛藤を高い程度に解決することです。

「自分のことを大切にできない人は、人のことも大切にできない」と言われます。その通りだと思います。まず自分自身を慈しみ、自分自身を満たし、自分自身のケアをしっかりすることが大切です。

それができていない人には、相手にとって何が必要なのか、どうすれば本当に相手のためになるのかが見えません。優しさが独りよがりだったり、押しつけがましかったりします。相手のためにしているようで、本当は「私がこんなにしてあげるから、あなたも私のためにするべきだ」という要求が混じっていたりします。

傾聴を学ぶ人の中には、自分自身へのケアが苦手な人が多い印象を私は持っています。しかし、聴き手が精神的に安定していなければ傾聴はできません。ですから、自分自身のケアをしっかり行いましょう。


傾聴にとても大切なのが、ここまで学んだ、話し手をなるべく話し手の身になって共感的に理解すること、そのままの話し手を大切に感じて尊重すること、聴き手が自分の心に素直に開かれているとともに、話し手の共感的、受容的なそのあり方が表層的、形式的な偽りではなく、純粋なものであることです。

そして、聴き手が頼れる存在と実感できると、話し手は心を開いて本音を話したくなります。

では、そんな傾聴の人間関係において、話し手の心にはどんな変化が生まれるのでしょうか。次の章で詳しく学びましょう。

# 4 傾聴がもたらす人間関係の変化

## 命の力を発揮させる環境

植物を育てるとき、生育に適した環境を提供すると、植物は自分の命の力でその植物らしく育っていきます。そして、私たちの心と体にも同じ命の成長力があります。

私たちの心に適した環境とは、どんなものでしょう？

それは、無条件の愛を求める衝動と「自分を表現したい」と求める衝動が満たされる人間関係です。そして、そういう人間関係を提供するのが傾聴なのです。

傾聴が提供する人間関係は、話し手の心に何をもたらすのでしょうか？

聴き手の共感的で受容的な態度が話し手に伝わると、話し手の心に徐々に変化が生まれます。自分のことを無条件にありのままで尊重され、大切にされ、しかも自分の思いを自分の身になって理解されていることが感じられると、私たちはホッとしてうれしくなり、心が緩みます。

緊張していた体が緩むときには、自己治癒力が働き出し、免疫力が活発になり、傷んだ細胞が修復されます。これは、心も同じです。心がホッとして緩むとき、心の自己治癒力が働き出し、心が休まります。そして、休んだ後には元気が出てきます。

また、そうした人間関係の中では、自分の思いを自由に表現できるので、さらに自分のことを話すようになります。すると、自分のことをさらに深く正しく、共感的に理解してもらうことができます。

傾聴の対話が進むにつれ、いのちの力が活性化され、心の自己治癒力・自己実現の力がムクムクと働き出し、心の痛みと矛盾が徐々に解決されていくのです。

## 自分自身に正直になるということ

私たち本来の自分らしさ、逞ましさ、しなやかさが発揮されるには、自分自身に正直になることが必要です。

しかし、私たちは「こんなことを思ってはいけない」「こうでなければならない」などの道徳観念や社会的な望ましさによって自分を縛り、不自由になっています。こうした観念は数限りなくあり、例えば、「人に優しくしなければならない」「怒ったり泣いたりするのはみっともない」「勤勉でなければならない」「しかし遊びもできないと人間としてつまらない」などです。

多くの人が、人間にはそれらの道徳的・社会的な縛りが必要だと信じているでしょう。私たちの心は、程度の差はあれ道徳的・社会的に縛られているのです。

**親切で優しい人だと思われないといけない。**
**まじめなのが立派なことだ。**

**自分勝手なことを思ってはいけない。**
**いつも勝たないといけない。**
**優秀でないといけない。**
**失敗してはいけない。**

そして、こうした観念に支配されることで、次のような固い状態になっています。

**自分のことがあまり好きになれない。**
**人から悪く思われることがすごく怖い。**
**過去の後悔でいっぱい。**
**未来の不安でいっぱい。**
**自分の気持ちがよくわからない。**
**やる気や元気があまり出ない。**

このように私たちは「べき」の考えに縛られているのです。

## 縛りから解放されると、自分らしくなれる

親や社会などから押しつけられた「べき」の縛りから自由になればなるほど、私たちはラクになり、イキイキしてきます。自分らしさが輝き出します。すると次のような緩んだ心への変化が徐々に現れ始めます。

**自分のことがなんだか好きだ。**
**自分の本当の気持ちを感じてもいい。**
**そのままの自分がいい。**
**人からどう思われるかがあまり気にならない。**
**人が好き。もっと仲良くなりたい。**
**過去に感謝。**
**未来にワクワク。**
**やる気と元気を感じる。**

私たちがこのように変化すると、「人に優しくしなければならない」から優しくするのではなく、人を思いやる気持ちが自然と湧いてきます。私たちは本来の自然な自分へと心が開かれると、平和と調和を好み、人と仲良くなりたいと願うようになります。

「努力することが立派なこと」だから努力するのではなく、自分の可能性を伸ばし自己実現したくなるので、「自分で決めた目標を達成したい」から、「もっと上達したい」から、「もっと学びたい」から、努力をするようになります。そのとき、努力すること自体に意味を感じます。より積極的に行動するようになるし、新しいことに挑戦することが増えるし、人の期待に応えるためではなく、自分らしく成長するために努力するようになります。

「遊びもできないと人間としてつまらない」から遊ぶのではなく、「楽しいことが好き」だから遊ぶようになります。休息が必要なときは「休みたい」という自然な欲求に従って休みます。

自分の気持ちや感覚を信じられず他人に頼るのではなく、自分の正直な心をより信頼するようになるのです。すると、「自分のことが好きだ」と思えない状態から、「そのままの自分がより好きだ」と感じ、受け入れるようになります。

ありのままの自分を自分自身が嫌がると、人に対して自分を偽ろうとします。

反対に、自分が自分をありのままで受け入れるほど、人に対しても素直に自分を出すことができます。ですから、傾聴が進むにつれて人から悪く思われる不安が減るので、人との関係がより自由でラクになります。心の痛み、憎しみ、寂しさを人にぶつけることが減り、穏やかさ、寛容さ、共感的な理解をもとに接することが増えるので、人間関係がより良くなるでしょう。

考え方も柔軟になります。「白か黒か」と考えがちだった人が、「白も黒も両方だなあ」と考えるようになります。「絶対にこれしかダメだ」と考える傾向が減り、「こういう見方、感じ方、方法もあるなあ」と、異なる側面を見ることができるようになります。物事や他人について悲観的に、悪いように受け取る傾向があった人も、より現実に即した見方、感じ方をするようになります。

さらには、生きること自体がラクに感じられるようになるし、自発性とやる気が湧いてきます。そして、「もっと良い人生にしたい」という気持ちが強くなります。

こうした変化は、周囲の人々にも良い影響をもたらします。私たちは人の影響を受けるものです。特に、子どもは家族の影響を大きく受け、親が不安定だと子どもも不安定になります。子どもの心や行動に問題があるとき、親に手を差しのべると子どもの問題が消えることが珍しくありません。親の心が緩むほど子どもの心も緩み、その子らしい生き方ができるようになります。

このような過程を本来の自分らしさが輝き出すよう援助するのが傾聴なのです。

ですから傾聴には、「人間は本質的に成長を求めており、善良で社会的である調和を好んでいる」という基盤があります。

私たちがこの世に生まれてきた目的は、自分の可能性を開花させ、自分の素晴らしさを実現するためです。

それは、私たちの心理的な側面というよりもスピリチュアルな側面の事柄であり、私たちが魂のレベルで望んでいる深い願いなのです。

## 過去の傷つきがあると心を開けなくなる

ここまで、傾聴の人間関係において、話し手にどんな変化が起きるかを学びました。しかし現実には、話し手が聴き手の共感的で受容的な態度を実感することは難しいものです。そのため心を開いて語ることが難しく、信頼関係をうまくつくれないことも少なくありません。

なぜ、心を開いて語ることが難しいのでしょう？　それは、過去に心を開いたとき、拒否されたり責められたりした辛い経験の痛みが今も心にあるからです。

私はカウンセラーとして、「来談者の力になろう」「来談者のことを批判したり裁いたりせず、なるべく来談者の身になって理解しよう」と思いながら座っています。そんな私に対しても、来談者は初めから心を開いて本音を話せるものではありません。

心の傷つきが深く大きいほど、私の共感的で受容的なあり方に懐疑的になり、そのあり方を信頼したりすることが、難しくなります。

つまり、話し手が過去、大切な人に本音を表現したときに、責められたり、否定されたり、バカにされたり、軽んじられたり、無視されたり、もしくはそう感じた経験があってその傷つきが今も癒されずに残っていると、聴き手がどれほど穏やかに、優しそうに座っていても、「このカウンセラーにも同じようにされるんじゃないか」と感じ、心を開くことができないのです。

そのとき話し手は、私に対して、まるで過去に話し手を批判した人そのものであるかのように感じて振る舞っているのです。

このように、過去の誰かに対する感情、思考、行動パターンを今の人間関係において繰り返す現象を「転移」と呼びます。転移は私たち誰もが起こす反応であり、私たちの生活にとても大きな影響をおよぼしています。

## 愛されない傷つきが引き起こす転移反応

親から無条件に愛された実感が乏しいまま育ち、その傷つきが癒せていない人ほど、強い転移反応をより頻繁に起こします。

例えば、愛情や関心を過剰に求めたり、優しく温かい親の理想像を別の人に求めたりするのです。特に、恋人や結婚相手、親友など、関係性の近い人たちに対してそのような要求が強くなります。

強い転移感情を向けられた相手も、最初はそれに応じることがあります。しかし、転移では愛情や関心の欲求が過剰ですので、次第に嫌になります。

転移反応を起こし、誰かに理想的な優しい人であるよう求めても、相手がその理想像にいつもピッタリ合う行動をすることはありえません。ですから、転移の欲求はしばしば満たされないことになります。そのたびに、「裏切られた」「傷ついた」と感じる経験を繰り返します。

ですから転移反応が強い人ほど、怒り、傷つき、寂しさ、不安など、苦しみの多い人間関係に陥ります。人への怒りや不信感がさらに増幅するような経験を繰り返すのです。

上司や先生など目上の人や権威者に対し「好かれたい」「認めてほしい」と強く求める気持ちも、権威者への反発心も、よくみられる転移反応の例です。上下関係が苦手なのは、自分を傷つけた大人を相手に重ね合わせているためなのです。

人の目が気になるのも転移反応の一例です。無条件の愛を得られなかった経験から、「人は私に対して否定的だ」という考えに捉われているのです。そのため、「人から嫌われたらどうしよう」「攻撃されたらどうしよう」といった不安に襲われやすくなるのも特徴です。

いわゆる「クレーマー」や「モンスター・ペアレント」と呼ばれる人たちも、幼少期の心の傷つき、およびその傷つきに発する転移反応が激しい人たちです。

このように、転移反応は人に対する怒り、不信感、軽蔑心など、マイナスの感情として現れることがあります。

## 聴き手の共感を信じることができない

私たちは誰でも、程度の差はあれ心の痛みを抱えているものです。そして、過去の傷つきに基づく「人は信用できない」という信念がより強く固いほど、聴き手が共感的な気持ちでいるとは信じられなくなります。そのため反抗的な気持ちになったり、また仮に聴き手を信頼して心を開こうと努力しても、不信感を拭い去ることができず、表層的な話しかできなかったり、話す内容が浮かばなかったりします。

反対に、心の知覚の部分がよく働いていると、聴き手の共感的で受容的な態度を感じることが容易になるので、心を開いて話すことができます。

転移という現象はものすごく奥が深く複雑な現象です。そして、人の心を理解するために非常に重要な現象でもあります。傾聴やカウンセリングについて深く学びたいなら、ぜひ転移についてより深く学んでください。

## 話し手のペースを尊重する

あなたが話し手を傾聴して助けようとしても、話し手の心の傷の程度によっては、あなたの共感的な傾聴の姿勢は伝わりづらくなります。ですから、話し手がすぐに聴き手を信頼できないことも少なくありません。

植物にその植物固有の成長のペースがあるように、人が変化と成長をするのにも、その人のペースがあります。心の傷つきが深く激しい人ほど、話し手を信頼すること、心を開くこと、傷を癒すこと、成長することに時間がかかります。

ところが聴き手が話し手のペースを受け入れ尊重することができず、「早く心を開いてもらおう」「話してもらおう」「変化してもらおう」という思いを持っていると、その思いは話し手に伝わります。すると「自分のありのままを尊重してくれていない」と伝わり、話し手は安心できなくなります。そして本音が話せなくなり、傾聴が進みません。

傾聴しようとするときには、話し手のペースを受け入れ、辛抱強く寄り添う姿勢がとても大切です。その姿勢が伝われば伝わるほど、話し手は聴き手のことを信頼しやすくなります。

ここまで、傾聴の実践に大切な、人の心の成り立ちや傾聴の考え方をお伝えしてきました。それらを踏まえたうえで、第Ⅳ部からは、いよいよ傾聴の具体的な方法をお伝えしていきます。

# IV

# 傾聴のしかた

# 1 傾聴技法の基礎

## もっとも大切な基盤

あなたが今までに出会ってきたなかで、いちばん好きな先生は誰でしょう？

そして、なぜその先生が好きなのでしょう？

さまざまな答えがあるはずです。しかしあなたはおそらく、「漢字の教え方がうまかったから」とか「分数の教え方がうまかったから」のようには答えないでしょう。生徒は、教え方のテクニックが上手だったからといって、その先生を一番好きだとは感じないものです。素晴らしい先生というのは、教育への情熱があるとか、子ども思いだとか、子どものことが大好きだとか、子どもの成長を見ると心から喜びを感じるとか、そういう人です。

もちろん、教師にテクニックは必要です。何を言っているかわからないような教え方では、良い教師になれるはずがありません。しかし本質的に大切なのはテクニックではなく、子どもや教育に対する真摯な思いなのです。

傾聴しようとするときにもっとも大切な基盤は、テクニックではなく、話し手の気持ちをなるべく話し手の身になって理解するとともに、そのままの話し手のことをただ大切に感じていることでしょう。私たちの思いは、言葉にしなくても相手に伝わり、その人との人間関係に影響を与えます。話し手をただ大切に感じる、その思いが聴き手の根底にあると、それは「気」「エネルギー」「オーラ」「雰囲気」といった形で醸し出され、話し手に伝わります。

## 体を緩め、体を感じながら聴く

最近は傾聴について教える本が増えてきました。しかし、私が知る限りはどの本にも書かれていない、とても大切なことがあります。

それは、話を聴いているときに自分の体に少し意識を向け、体を緩め、体を感じながら聴くことです。話を聴くとき、体が緊張していたり、頭であれこれ考えたりしていたりすると、傾聴はできません。

英国のスピリチュアルの指導者であるエックハルト・トールは、自分の体を意識の一部で感じながら聴くことについて、こう述べています。

---

心の雑多なものが取り除かれた透明な空間ができ、その空間こそが、関係性が花開くために必要です（Tolle, 1999; p. 106;）　（古宮訳）

---

話を聴くときには深くゆったりと呼吸をし、体を感じてリラックスしましょう。すると、傾聴の場は落ち着きとおだやかさと癒しをもたらす場となるはずです。

体には丹田と呼ばれる部位があります。おへそからおよそ5センチほど下、そこから体の内側に5センチほど入った下腹部にあります。東洋医学では、この丹田を体の中心と見なします。

私はカウンセリングが始まるとき、口から細く長く息を吐きます。このとき、吐く息は丹田から上がって来たものを唇から吐くつもりで、吸う息は鼻から丹田まで届かせるつもりでラクに吸います。そして、話し手に注意を向けると同時に、ときどきほんの少しだけ自分の体を意識し、体を感じながら聴くようにしています。

聴き手は「何と言って返そうか」など頭のなかであれこれと考えてはおらず、話を聴きながらも、ただ自分の体を感じています。このようにして聴いていると、話し手も本来の自分らしさを取り戻し、より自由で柔軟になる、そんな交流ができるように思います。

日常の会話でも、息を口から細く長く吐いて自分のからだをすーっと感じながら聴いていると、話し手と私のあいだに、おだやかなスペースが生まれるように感じます。

## あらかじめ傾聴の終了時刻を決める

傾聴は心のエネルギーをたくさん使います。ゆとりがないとできません。

ですから、プロのカウンセラーは予約制です。そして約束の時刻が来ると、話の途中でもそこで終わります。冷たく感じますよね。そんなに割り切らないで、話し手の気が済むまで聴いてあげれば優しいのに。

でも、「話し合いは正午までで、この場所で行う」と、最初にきっちり設定してお互いの合意をもって開始するからこそ、集中して聴けるのです。もし、話し合いがいつ、どこで始まるかわからないし、いつ終わるかわからない、そんな状況だったら、対話の途中で「この話し合いはいつ終わるんだろう？　私も忙しいんだけど……あれもしないといけないし、これもしないといけないし……」と時間が気になって、話し手に集中することができません。すると、「次回、また話を聴いてください」と求められると、「え、また!?かなわないなあ」という気持ちになるでしょう。

ですから、プロ・カウンセラーが時間と場所をきっちり設定するのは冷たいからではなく、自分にできる支援をせいいっぱい提供するためなのです。

同じことはカウンセリングに限らず、ほかの傾聴の場合にも当てはまります。

私が大学教員だったとき、学生や卒業生が「先生、ちょっと質問があるんですけど」とやって来ることがありました。彼らには悩みや迷いがあって、本当は質問のためではなく助けてもらうために来ていました。

でも、私はすぐその場で話を聴くことはなく、お互いのスケジュールを合わせて予約を取り、開始時刻と終了時刻を決めて相談に応じました。「ごめん、今は時間がないけど、来週金曜日の午後4時から4時半に時間が取れるので、そのときはどう?」という具合です。そうする教授は他にはほとんどいなかったと思いますが、私は時間を決めておくことで、落ち着き、集中した状態で話し合いに応じることができました。

あなたが傾聴の対話をする際も、あらかじめ開始時刻、終了時刻をお互いに合意することができればベターでしょう。

それでは、ここまでの基礎を踏まえ、つぎの章からは傾聴の具体的な技術を学んでいきましょう。

# 2 傾聴におけるボディ・ランゲージ

## 「あなたに関心があります」と身ぶりで伝える

私たちが人と会話をしているとき、かならず行っていることがあります。会話のたびに毎回、自動的に行っているので、自分でも気付いていないことです。

それは、会話の相手が私たちに関心があるかどうか、話をしたいと思っているのかどうかを判断することです。

「会話の相手の人は、私に関心があるのかな？　私のことが好きなのかな？　それとも嫌いなのかな？　私と話がしたいと思っているのかな？　それとも本当は話をしたくないのかな？」と、会話のたび、いつも自動的に判断しているのです。

では、私たちはどうやってそれを判断しているのでしょう？

米国の社会心理学者メラビアンの研究では、判断の手掛かりとして相手の言葉は10％にも満たず、相手の声の感じと質が約40％、そして相手の表情、身ぶり、姿勢など、身体言語が占める割合が約55％、という結論に達しました。つまり私たちは言葉の内容よりも、声の感じや表情や身ぶり手ぶりによって、「私はあなたに関心があります」と伝えているのです（Mahrabian, 1971）。

ですから、聴き上手になるためにまず大切なことは、私たちの体で「私はあなたに関心があります。あなたの話を聴きたいと思っています」と伝えることです。

人の話を傾聴するときは、まず、相手に体を向けましょう。

もしあなたが新聞や雑誌を読んでいたなら、それをテーブルに置いて、顔を上げましょう。テレビも消しましょう。そして、話し手に体を向けましょう。

この行動は、相手に次のようなメッセージを伝えます。「あなたは、私の関心と時間を使うに値する人です。私にとって、あなたはそれだけ大切です。私はあなたと話をしたいし、あなたの言いたいことを理解したいです」

相手は、あなたの誠意を感じるでしょう。これは、傾聴には絶対に欠かせない、大切なことです。

## 受け身で黙っていることは傾聴ではない

人見知りの傾向が強い人ほど、「人から悪く思われるんじゃないか」という不安が強いために、自分のことを話すのが苦手です。会話の場面でも受け身的で、自分からはあまり話さないので、話し役よりも聞き役になることが多くなります。そんな人は、「自分は人の話を聴いている」と思っていることがあります。

しかし、傾聴とは心の壁をつくり、受け身的に黙っていることではありません。心の壁は相手にも何となく伝わり、相手のほうも心の壁をつくってしまいます。

相手が自発的に話しているように見えたとしても、間を埋めるために仕方なく話していることも多いものです。ラクな気持ちで正直に話しているわけではありませんし、受け身的な人に話をしても楽しいどころか、疲れます。聴き手が表情や反応に乏しかったり、心を閉じたりしていると、相手は内心「話しづらいなあ……」と感じ、冷や汗をかいてしまいます。

傾聴では、話し手に興味を持ち、「話し手が伝えようとしていることを理解しよう」と、積極的な態度で耳を傾けます。

聴き手は自分から壁を取り去ってリラックスし、オープンで積極的な心持ちで人と向かい合い、話し手が伝えたいことを教えてもらおうとすることが大切です。

## 豊かに反応されると話しやすくなる

傾聴するときには、あなたが話し手に関心を持っていることを体で伝えましょう。そのためにとても重要なのが「うなずき」です。

私は傾聴力を上げるセミナーをたくさん依頼されますが、一般の人たちを対象としたセミナーでも、プロ・カウンセラーを対象としたトレーニングでも、いつも必ず感じることがあります。

それは、参加者のうなずきが少なすぎることです。練習のとき、聴き手本人は十分にうなずいているつもりなのですが、話し手からすると、うなずきが小さすぎるし、うなずく頻度も少なすぎます。聴き手の反応が薄すぎて話しづらいのです。

そこで、私が聴き役をして傾聴のデモンストレーションをします。すると、周りで観察した人から、「先生のうなずきが多すぎて不自然な感じがしました」という正直な感想が出されることがよくあります。しかし興味深いことに、デモンストレーションで私の相手として話し役をした人は、「すごく話しやすかったです」とか「もっと話したかったです」と言うものです。

外からはうなずきが大きすぎるとか多すぎると見られるぐらいが良いのです。聴き手がそれぐらい豊かに反応してこそ、話し手は話しやすくなります。

ですから、傾聴するときには、話し手を見ながら大きくたくさんうなずきましょう。すると、次のようなメッセージが伝わります。

**「あなたの話を理解しています」**
**「私はあなたに関心があります」**
**「あなたの話を聴きたいです」**

## 「あなたは私にとって大切です」

## うなずきのバリエーション

話し手の顔を見ながら、大きくたくさんうなずきましょう。ほとんどの人は顔を小さくしか動かしませんが、そうではなく、首の付け根あたりから、首を縦に大きく動かして「うん、うん」と声を出してうなずきましょう。

またうなずくときは、自然と相づちにもバリエーションが生まれるものです。

**「うん、うん」**
**「ふん、ふん」**
**「はい、ええ」**
**「そうか、そうか」**
**「ほう、ほう」**
**「わかる、わかる」**

**「なるほど」**

　これらの返事を話し手に聞こえるよう声に出しながら、大きくたくさんうなずいて聴きます。特に電話では相手から見えないので、「うん」といううなずきの言葉をいっそう多くすると良いでしょう。

　傾聴するときには、体を相手に向け、相手を見て、大きくたくさんうなずくことがとても重要です。

　そしてもちろん、言葉で反応することも欠かせません。そこでつぎの章では、効果的な応答について学びましょう。

# 3 傾聴における応答の方法

## 話し手への理解を言葉にして返す

大きくたくさんうなずくだけでも、「あなたに関心を持っているし、おっしゃることがわかります」というメッセージを話し手に伝えることはできます。

しかしそれだけでは、話し手は「ぼく・私が言っていることを本当にわかっているのかな」と不安になることがあります。そこで、「あなたのおっしゃることを理解しています」というメッセージを伝える、さらに効果的な方法があります。

それは、話のキーワードを短く繰り返すことです。

話の要点を短く繰り返すことで、話し手への理解を伝えることができます。例を見てみましょう。

**●例1**

**話し手「どうしてオレがあんなに理不尽な言われ方をしなきゃならないのか、わからないよ」**

**聴き手「理不尽な言われ方をして本当にイヤだったんだね」**

**●例2**

**話し手「あの人と別れる日が来るのはわかっていたのに、本当にそうなるとすごく寂しいの」**

**聴き手「別れることはわかっていたのに、すごく寂しいのね」**

また、こうした聴き手の反応によって話し手への理解が伝わると、話し手は話がしやすくなり、会話がスムーズに進みます。次に、聴き手がキーワードを短く繰り返して会話が進んでいく例を2つ挙げます。

**●例1**

**話し手「そうしたらね、夕立になったの」**

**聴き手「えっ、夕立！」**

**話し手「そう、まさかそうなるとは思わないから傘がなくて、でも貸してください、なんて言い出せないしね」**

**聴き手「貸してなんてねぇ……」**

**話し手「そう、言えないから、どうしよう、って困っていたのよ」**

**聴き手「それは困るわね」**

**話し手「そうしたらね、偶然……（と話が続く）」**

こうして傾聴するときは、話し手と同じ言葉を使ってもいいし、同じ意味のことをあなた自身の言葉で言ってもかまいません。

**話し手「そうしたらね、偶然、経理課の山田さんが歩いてきたの」**

**聴き手「山田さんが？」**

**話し手「ええ、山田さんも私に気付いてくれて、お困りでしたら駅まで傘に入っていきませんか、と言ってくれたのよ」**

**聴き手「へえ、よかったらどうぞって？」**

**話し手「そうなの、あの山田さんが！　うれしかったわ」**

聴き手「意外だったし、うれしかったのね」
話し手「うん、それに話してみたら意外に優しいし、話も面白いの」
聴き手「へえー！　優しくて面白い人なんだ！」

●例2

話し手「今日、人事異動の発表があったんだ」
聴き手「ついに発表されたのね」
話し手「でもね、訳がわかんないよ！　うちの社長は、イエスマンばかりを周りに置きたいんだよ」
聴き手「イエスマンばかりを？」
話し手「耳の痛い意見でもしっかり言う人が、支社に飛ばされることになったんだ」
聴き手「しっかり言う人を支社に飛ばしたのね」
話し手「うちの会社はこんなことばかりしていて、イヤになるよ！」
聴き手「本当にイヤになったのね」

## 長々と繰り返してはいけない

私たちは話をするときは、何を言いたいかが相手にわかるよう、まず状況の説明をするのが普通です。「AだからBで、Cになり、だからDなんです」という具合です。

そして、話し手が伝えたかったポイントがDであったとします。このとき、聴き手のもっとも適切な応答は「Dなんですね」というものです。それを、「AだからBで、それでCで、だからDなんですね」のように、大切な部分もそうでない部分もすべて形式的に返すと、話し手はとても話しづらくなります。

例を通し、比べてみましょう。

**●例1**

**話し手「そうしたらね、夕立になったの。でもね、まさか夕立になるなんて思わないから傘がなくて、どうしよう、って困っていたらね、そうしたらね、偶然、山田さんが歩いてきて、『良かったら駅まで傘に入っていきませんか』と言ってくれたのよ。うれしかったわ」**

**《長々と繰り返す応答》**

**聴き手「そうなのね、夕立になったけど、まさか夕立になるなんて思わないから傘を持ってきていなかったのね。だからどうしようか困っていたのね。すると山田さんがたまたま歩いてきて、『良かったら駅まで傘に入っていきませんか』と言ってくれたから、うれしかったのね」**

このように、話し手の内容の大切ではないことがらまで長々と返されると、話し手は話しづらくなります。

この例では、夕立になったこと、夕立になるとは思っていなかったこと、だから傘がなかったことなどはすべて状況説明であり、話し手がもっとも伝えたかったことではありません。ですからそれらは返さず、もっとも大切な、「困っていたときに山田さんが助けてくれてうれしかった」という部分だけを言葉にして返すと良いでしょう。

**《要点を適切に返す応答》**

**聴き手「困っていたから、山田さんが親切にしてくれてうれしかったのね」**

**●例2**

**話し手「私の娘も娘の旦那さんも共働きで、帰宅は2人とも夜9時を過ぎるのよ。でも娘には子どもが2人いるの。少しでも手伝いをしようと思って、私は田舎に住んでいたんですけど、上京して一緒に暮らして、家事を手伝っているんです」**

この場合、状況説明の部分は、娘夫婦が共働きであること、帰宅が2人とも夜9時を過ぎること、子どもが2人いること、などです。それらは話し手がもっとも伝えたい要点ではありません。

**《長々と繰り返す応答》**

**聴き手「お嬢さまのご夫婦は共働きで、しかも帰宅はお二人とも夜9時を過ぎるし、お子さまが2人もおられるから大変なんですね。それで助けたいと思われたので、遠い田舎から上京され、一緒に暮らして、家事を手伝っておられるんですね」**

**《要点を適切に返す応答》**

**聴き手「お嬢さまたちが大変なので、一緒に住んで手伝っておられるんですね」**

話し手の言うことを一字一句もらさず返そうとする形式的な態度は、傾聴とは相入れません。傾聴するときには、体をゆるめてゆったりと呼吸をし、話し手が伝えたいことを落ち着いて聴こうとする態度が大切です。話し手の一挙手一投足に注意を向ける必要はないし、「話をすべて覚えておこう」といったプレッシャーも傾聴を妨げます。

## 話し手が伝えたい要点を理解する

傾聴するときには、話し手が伝えたい要点をつかみ、なるべくそれだけを短く返すよう心がけましょう。大切ではない部分を返すと、話し手は「伝えたいことをわかってくれていない」と感じ、話す気をなくします。

話し手の要点を返している応答と、要点を捉えず大切ではないことを返している応答を比べてみましょう。

**《話し手の要点を返している応答》**

**話し手「ええ、山田さんも私に気付いてくれて、良かったら駅まで傘に入っていきませ**

んか、と言ってくれたのよ」
聴き手「へえ、山田さんのほうから親切に言ってくれたのね」
話し手「そうなの（笑顔）」
聴き手「優しくしてくれたからうれしかったのね」
話し手「それにね、話してみたら意外に優しいいし、話も面白いのよ」
聴き手「へえ、意外に良い人だったんだ」
話し手「そうなの、会社でもあんなふうに素直にすればいいのに」
聴き手「会社では付き合いにくそうな感じに振る舞うのが残念なのね」
話し手「そうよ、もったいないわ。もっと自由に振舞ったら山田さんだって楽しいと思うのよ」

《要点を逃して大切ではないことを返している応答》
話し手「ええ、山田さんも私に気付いてくれて、良かったら駅まで傘に入っていきませんか、と言ってくれたのよ」
聴き手「山田さんが歩いてきたのね」

**話し手「……そうよ……で、雨だったので駅まで一緒に傘に入れてくれるって言うの」**
**聴き手「天候は晴れじゃなくて雨だったのね」**
**話し手「ええ、言ってるじゃない！　オウム返しはやめてくれる!?　ま、ともかく、駅まで一緒に帰ったんだけど、話してみたら意外に優しいし、話も面白いのよ」**
**聴き手「駅まで帰ったのね」**
**話し手「（イライラして）だから、山田さんと一緒に帰ったら、意外に優しくて面白い人だったの！」**

## 話し手の感情に応答する

私たちが人に話をするとき、客観的な事実を伝えたくて話をすることがあります。
**「今日は食事をして帰るから、晩ご飯はつくらなくていいよ」**。
**「そうなの、わかったわ」**。
しかし、人は理屈ではなく感情の生き物です。広告のプロはそのことをよく知っていますから、商品についてよいイメージを与え、その商品を見ると幸せな気分、楽しい気分になるような広告をつくろうとします。テレビCMやポスターなどに好感度の高いタレントが起用され、美男美女が商品を持っている写真・映像が使われるのも、人びとの感情に訴えるためです。そして実際、明らかに大きな効果を発揮しています。

人との交流においても感情が大切です。あなたに対し「私の気持ちをわかってくれているし、大切にしてくれている」と感じると、相手は心を開きたくなるものです。

## 話し手が感情を伝えたいとき

私たちは、気持ちをわかってほしくて話をすることがよくあります。私たちが客観的事実だけでなく感情を表現して話すとき、わかってほしいのは客観的な事実よりも感情のほうです。

**●例1**

**話し手「今夜は食事に誘われて断れなかったから、晩ご飯をつくらなくていいよ（ゆう**

**うつそうに）」**

この場合、外で夜ごはんを食べる予定である、という事実に加えて、それについてのゆううつな気持ちもわかってほしいのです。ですから、「そうなの、わかったわ。断れなくてたいへんね」と答えてあげると良いでしょう。

このように、話し手が感情を表現しているときは、単に事実だけを応答して返すのではなく、その感情について理解的に応答することが大切です。

**●例2**

**話し手「今日は寒いわね」**

これは、単に天候を叙述しているのでしょうか。ひょっとしたら、「今から出かけるのがおっくうだ」と伝えたいのかもしれません。それならば、その理解を返すことが傾聴の応答になります。

**話し手「今日は寒いわね」（おっくうそうな表情と声の感じ）**
**聴き手「出かけるのがおっくうなの？」**
**話し手「そうなのよ。寒いのは苦手なのにイヤだわ…」**

逆に、最近買ったオシャレなコートを着られるからうれしいのかもしれません。

**話し手「今日は寒いわね」（明るい表情と声の感じ）**
**聴き手「うれしそうね」**
**話し手「うん、やっとあのオシャレなコートを着ていけるわ♪」**

**●例3**
**話し手「（暗い表情で）あーあ、バーゲンで3万円も使っちゃった……」**

話し手は、暗い表情で語っています。たくさんお金を使ったことを後悔しているのでしょう。ひょっとしたら、浪費癖をやめられない自分自身に対して嫌悪感を感じているのかもしれません。クレジットカードの支払いが心配なのかもしれません。

話し手はこうした気持ちをわかってほしいのであって、３万円の買い物をした客観的事実を伝えたいのではありません。ですから、「バーゲンで３万円の買い物をしたのね」と事実だけを平板な言い方で返すのでは、共感が欠けています。

より共感的な応答は、後悔している話し手の気持ちを自分のことのように想像し、「使いすぎて後悔しているのね」とか「お金を使いすぎちゃったって嫌になっているのね」と返すことです。

共感に欠ける聴き手と、共感できている聴き手の応答を比べてみましょう。

**●例4**

**話し手「私の誕生日にね、事務所の人たちがサプライズパーティーをしてくれたの！　すっごくうれしかった！」**

**共感に欠ける聴き手「あなたの誕生日に事務所の人たちがサプライズパーティーをしてくれたんだね」**

**共感的な聴き手「へえー、それはうれしかったね！」**

**●例5**

**話し手「東京の満員電車はすごいですね！　ものすごい人混みに押されて、気分が悪くなりましたよ。あぁ疲れた」**

**共感に欠ける聴き手「東京の満員電車はすごく混んでいる、と思われたんですね」**

**共感的な聴き手①「めちゃくちゃに押されて、気分が悪くなったんですね」**

**共感的な聴き手②「慣れないから、よけいに大変ですよね」**

これらの応答例からわかるように、傾聴の応答とは、話し手がわかってほしいことをなるべくその人の身になって理解し、その理解を言葉で返そうとすることです。

## 話し手の感情の強さに合わせて応答する

話し手の感情に応答するときは、感情の強さを話し手の表現に合わせることが大切です。

**●例**

**話し手「（淡々とした様子で）今年ね、震災に遭ったんです」**

**大げさな聴き手「（いかにも心配そうに）ええ〜！　そうなんですかぁ！　それはさぞ大変だったでしょう！」**

聴き手が応答するとき、その感情の強度が話し手に合っていなければ、共感に失敗しています。右の例で話し手が伝えたかったのは、ひょっとすると地震の辛い経験ではなく、幸いにして被害はほとんどなく、家族・親戚・知り合いにもひどい被害を受けた人はいなかった、ということかもしれません。それなのに、聴き手がいかにも大げさに同情したのでは、話し手は伝えたいことを話せなくなります。

より適切な応答は、「そうなんですか」とか、「震災に遭われたんですか」のような、あまり大げさではない返事でしょう。話し手は淡々とした様子で話したわけですから。話し手の感情の強さに合わせることが適切な応答であり、もし話し手が地震の辛い経験を話したければ、徐々にその話になっていくでしょう。

話し手の感情は、声の様子、表情、体の姿勢やしぐさから感じ取ることができますが、「うれしい」「悔しい」「悲しい」などと話し手が感情を言葉にしたときは、特に注意を払いましょう。

そして、傾聴するときには話し手の感情の強さに合った表現を使って応答することが大切です。例えば怒りの強さを表す表現は、「理解できない」「ムッとする」「イライラする」「腹が立つ」「はらわたが煮えくりかえる」など、さまざまです。それらの表現を、来談者の怒りの強さに合わせて使いましょう。

## 形式的なテクニックは傾聴の本質ではない

ここまで、傾聴における応答の方法について学んできました。しかし、傾聴の本質は、適切な言葉で応答することではありません。話し手が表現していることを、なるべく話し手の身になって、ひしひし、ありありと想像して感じることです。

対人支援者（福祉、医療、心理などを扱う支援者）を対象とする研修で傾聴を教えると、話し手が話したことを形式的にオウム返しする人がとても多いと感じます。

傾聴で大切なことは、話し手を尊重し、話し手がわかってほしいことをなるべく話し手の身になって共感的に理解する人間関係であり、形式的なテクニックではありません。

例えば話し手が苦しい思いを語っているとき、その苦しみを深く正確に理解することなく、話の内容を形式的に繰り返したり要約して返したりすることは、傾聴にはなりません。「それはたいへんですね」「悲しいんですね」など、いかにも〝共感的〟な言葉を返したとしても、援助にならないのです。

例えば、悲しみや怒りをあらわにして話す人が目の前にいたとします。「この人は悲しいと言っている」「この人は怒っているんだ」などと単に表層的に考えたり、形式的にオウム返しをしたりしながら聞いているだけだと、話し手には何となくそれが伝わります。

すると、話し手は「自分の気持ちを本当にはわかってもらえていない」と感じ、聴き手を信頼できなくなります。正直な気持ちや思いを自由に話すことはできず、対話は深まりません。どこか形式的な、不自然な会話となってしまいます。

傾聴するときには、話し手の思いやわかってほしいことを、話し手の身になって、ひしひし、ありありと想像して感じながら聴くことがとても重要です。それができていればいるほど、話し手は「自分のことがわかってもらえた」と感じ、表現したい衝動がむくむくと湧いてきて、正直な思いをさらに深く吟味しながら表現していくことができます。

傾聴カウンセリングの創始者は、米国の臨床心理学者であるカール・ロジャースです。彼のカウンセリングについては「話し手が語った言葉を繰り返すなどの技法を使うこと」と誤解されており、彼自身もその事実を残念に思っていました。そして、インタビューや著書のなかでこう語っています。

「(技法にこだわると) 真に話し手といっしょにいるのではなく、機械的になってしまう」

「カウンセリング中に何を言うかは大切だが、カウンセリング関係における聴き手のあり方のほうがずっと重要だ」

（Heppner, Rogers, & Lee, 1990; p.56; 邦訳は古宮による）

「（単に受け身的な聴き手では、）話し手の多くが援助を得られず落胆するとともに、何も提供するものを持たないカウンセラーに対し、非常に不愉快な気持ちでカウンセリング・ルームを後にするでしょう」

（Rogers, 1951; p. 27; 邦訳は古宮による）

理解が足りないまま受け身的に聞いたりテクニックを使ったりしても、傾聴にはなりません。傾聴とは、「内容の要約」「感情の反映」などのテクニックを上手に使うことではないのです。テクニックはとても大切で欠かせないものではありますが、決して、テクニックを上手に使うことが傾聴ではありません。

傾聴における共感とは、話し手が感情を感じているとき、その感情をできるだけ「それは悲しいだろうなぁ」「それは腹が立つよなぁ」など、話し手の身になって想像し、感じ、その感情を味わう、ということなのです。

# 4 傾聴における質問の使い方

傾聴では、話し手のペースに沿って話を聴いていきます。聴き手からはどのように質問すればよいのでしょうか？

## 話しやすくなるよう助けるのが適切な質問

聴き手が質問を上手に使うと、話し手は話しやすくなります。

上手な質問のコツは、話の流れに沿った質問をすることです。そうすれば、話し手は話したいことをさらに話しやすくなります。話し手が話したいことをより話しやすくするのが適切な質問であり、話そうとしていないことを掘り下げるような質問は対話の邪魔をします。

根ほり葉ほりの尋問になってしまっては、話し手が嫌な思いをします。また、あれこれと質問しすぎると、傾聴の対話ではなく一問一答式のやり取りになってしまいます。それでは話し手は質問に答えるだけになってしまい、本当に話したいことを話すことができなくなります。

話し手の話の流れに沿っている質問と、話の流れを邪魔する質問を比べてみましょう。

**《質問を上手に使う対話》**

**話し手「今年ね、大きな震災に遭ったんです！」**
**聴き手「えっ、地震に遭われたんですか！」**
**話し手「ええ、かなり揺れましてね。怖かったですよ」**
**聴き手「それは怖かったでしょう」**
**話し手「ほんと、怖かったです。で、私は大丈夫だったんですけど、妻がケガをしましてね」**

聴き手「そうなんですか。おケガはひどかったんですか?」
話し手「家から逃げ出そうとしたら、転んで脚を折ったんです。それで、3日ほど入院しまして」
聴き手「3日間も?」
話し手「それが、妻は骨折より、地震の揺れがすごくショックだったようで、夜もうなされるようになって、今もときどき眠りが浅い日があるんです(心配そうな様子)」
聴き手「そうですか。ショックが尾を引いておられて、それはご心配でしょう?」

《根ほり葉ほりの尋問をしている対話》
話し手「今年、大きな地震に遭ったんです」
聴き手「いつですか?」
話し手「3月です」
聴き手「どこですか?」
話し手「茨城です」
聴き手「震度はいくつだったんですか?」

**話し手「5ぐらいです」**
**聴き手「へえ……」**
**話し手「はい……」（話が続かない）**

右の2つの対話は、何が違うのでしょうか。

《質問を上手に使う対話》では、聴き手は話し手の話の流れに沿って、話し手が話したいことを話しやすくなるよう質問をしています。具体的に見ていきましょう。

まず、聴き手は話し手が話したいことに沿って質問をしています「おケガはひどかったんですか？」「それはご心配でしょう？」がそれにあたります。

そして、聴き手は話の大切なポイントを短く返し、共感的な態度を伝えています。「えっ、地震に遭われたんですか！」「それは怖かったでしょう」「3日間も？」「ショックが尾を引いておられて、それはご心配でしょう」といった応答です。

それに対して《根ほり葉ほりの尋問をしている対話》では、聴き手は話し手の内容に沿うことなく、聴き手が知りたいことを尋ねています。また、理解をしめす応答ではなく質問ばかりなので、会話もはずんでいません。

《質問を上手に使う対話》は傾聴ができていますが、《根ほり葉ほりの尋問をしている対話》は事情聴取のようになっています。プロ・カウンセラーであっても、実力の低い人は傾聴ではなく事情聴取をしてしまっていることがよくあります。

2つの違いについて、さらに詳しく見てみましょう。

## 事情聴取と傾聴の違い

話し手の気持ちや考えを自由に話してもらおうとするのではなく、聴き手が知りたいことを話させようとしたり、話し手の感情に注意を当てず、話の事実ばかりに注意を向けたりすると、事情聴取になってしまいます。

事情聴取の目的は、聴き手が知りたい情報を集めることです。ですから、聴き手が話の内容をコントロールし、何を話させるかを決めます。そして、起きた事件について客観的な事実をつかもうとします。もし何も話してもらえなければ、事情聴取は進みません。

それに対して傾聴は、会話のコントロールを話し手に委ねるものです。聴き手は話し手についていきます。客観的な事実を集めるのではなく、話し手が伝えたいことを、できるだけ話し手の身になって理解しようとします。

学校でも、問題を起こした子どもを呼び出して話を聞くとき、事情聴取と説教だけで終わってしまうことがよくあります。その子の気持ちをその子の身になって理解しようとするよりも、「いつ」「どこで」「何をしたか」という客観的な事実の情報を集めるとともに、「なぜそんなことをしたのか」と問い詰めるのです。

しかしそんな態度で接すると、そこが警察署であれ学校であれ、話し手は脅威を感じていっそう心を閉ざすものです。もし事情聴取によって心がラクになったり人として成長したりするなら、警察の事情聴取によって犯人は癒され、更生するでしょう。

「とにかく話をさせよう」と考えている聴き手は、根ほり葉ほりの質問をしてしまいます。

しかし、話し手がその根ほり葉ほりの質問に答えてしゃべったところで、本来の心の自己治癒力が動き出すわけではありません。それどころか、自分のペースを尊重し守ってもらえないため、聴き手との関係が安全なものではなくなり、心がさらに固くなりかねません。ですから知りたいことを詮索するのではなく、なるべく話し手が話したいことについていくような対話に努めましょう。

聴き手が無理に話をさせようとしたり、あれこれ詮索したりすると、傾聴の援助的な対話にはなりません。傾聴とは、あくまで話し手が表現する考えや感情をなるべく共感的に理解し、その理解を言葉で返すことによって、話し手の心の動きについていくことなのです。

## 場面に応じた質問をする

パーティーなどで楽しく話すときには、上手に質問することで「私はあなたの話に興味があります。もっと聴きたいです」というメッセージが伝わります。その場合は、相手が話していることについてもっと教えてもらうための質問と、相手の興味あることや好きなことについて尋ねる質問をしましょう。

### 《上手な質問例1》

**聴き手「〇〇さんはお休みの日は何をして過ごされることが多いのですか？」**

**《上手な質問例２》**

**聴き手「シュノーケリングがお好きなんですね！　シュノーケリングの楽しいところって何ですか？」**

しかし、悩み相談など話し手にとって深刻な話題のときは、質問を減らし、話し手が話す内容を繰り返すような応答をしましょう。なぜなら、辛い内容の場合は話をするなかでも傷つきを感じやすいので、詮索されることなく自分のペースで話す必要があるからです。

また、「なぜ」「どうして」という質問は、話し手を批判しているように聞こえがちです。ですから、代わりに「何が」「どう」「どんなふうに」と尋ねることができるのなら、そのほうが安全です。

「なぜ」「どうして」と尋ねるときには、批判的に感じさせないよう、表情、言い方、声の様子についても留意しましょう。

**《質問の言い換え例１》**

**「なぜ奥さまに怒鳴ったんですか？」**

**↓「奥さまに怒鳴らずにいられないぐらい腹が立ったんですね。何に腹が立ったんですか？」**

**《質問の言い換え例2》**

**「なぜ泣いているの？」**

**↓「本当に悲しいんだね。何がそんなに悲しいの？」**

**《質問の言い換え例3》**

**「どうしてその集まりに行きたくないんですか？」**

**↓「その集まりに行くのは何がイヤなんですか？」**

ここまで、傾聴するときの基本的な考え方と技法をお伝えしましたが、いざ実践しようとすると、傾聴が難しい場面にもぶつかります。話し手が沈黙する、話し手が気持ちを話してくれない、自分のことを話さず質問をしてくる、などなど。

つぎの第V部からは、こうした状況が起きたときにそれをどう理解し、どう対応すればいいかを考えていきましょう。

# V

# 難しい場面の対応

# 1 沈黙が生まれたらどうすればいい?

## 傾聴では沈黙を避けなくてもいい

沈黙を苦手とする人は多いものです。

社交上の会話であれば、沈黙が生まれないよう、お互いに共通している話題や、相手にとって興味のある内容、話しやすい内容を持ち出してあげるとスムーズな会話になります。お天気の話をする、相手の服装を褒める、相手の趣味や休日の過ごし方を尋ねるなどが良いでしょう。そして、相手の話に対し、明るい表情で大きく何度もうなずく、キーワードを短く返す、相手がわかってほしい要点を短く返すなどの傾聴の応答を積極的に行えば話は盛り上がりやすくなります。

しかし、私がカウンセラーとして話を聴くときには、話しやすい内容を相手に振ることはありません。初対面の来談者でも、「今日はどういうことでお越しになられましたか？」と、いきなり本題に入ります。お天気の話などは時間の無駄となりますし、本当に悩んでいる人に対して「深刻な話は受け止められません」というメッセージを伝えることにもなりかねません。傾聴では沈黙を避ける必要はないのです。

日常の会話でも同じです。相手が「悩んでいることや辛い気持ちなどについて話したい」と思っており、あなたも「傾聴することで支えになりたい」と願っているとき、沈黙を恐れてはいけません。当たり障りのない話しやすい話題を振って、とにかく話してもらおうとするのは最善の方法ではないことが多いのです。

初心者が傾聴しようとするとき、話し手がすらすら話してくれないと困ってしまうことがあります。これは、聴き手が沈黙をこわがっているためです。話し手から信頼され心を開いてもらえないと、「うまく話を聴けていない自分がダメなんだ」という気持ちになるからかもしれません。

こういう気持ちが強くなると、聴き手にはゆとりがなくなり、話し手のペースにゆだねて待つことができなくなるでしょう。そんな人間関係では、話し手は安心して話すことが難しくなります。

逆に、聴き手が「話しても話さなくても、どちらでもいい」と心から思えていると、話し手にとってその人間関係は安全なものになります。傾聴とは、話し手が話したい場合に話したいことを話せる、そんな場を提供することです。

## 無理に話をさせようとしない

傾聴にあたっては、話をさせようとしてはいけません。なぜなら、話をさせようとすることは、話し手に対して「話さなければダメだ」という条件を課していることになるからです。

傾聴において大切なことのひとつに、「そのままの話し手を受け入れて大切に感じること」があります。もちろん、それがいつも完璧にはできるということはありません。しかし、話し手のことを無条件に受容する態度が聴き手にあればあるほど、話し手にとってその人との関係性は安全なものになります。

話し手のことを無条件に受け入れる態度とは、「話したければ話を聴かせてほしいと思うけど、話したくなければ話さなくてもよい。どちらにしても私は話し手のことを同じだけ受け入れ、同じだけ大切に感じている」という態度です。

「あれについて話をさせよう」「このことを語らせよう」と迫る態度では、話し手を無条件に尊重して受け入れていることにはなりません。

そもそも傾聴の対話において、話をすること自体には意味がありません。「話し手が何かを話していれば意味があり、話し手が黙っているなら時間の無駄だ」、というものではないのです。では、傾聴の対話では、何に意味があるのでしょうか？

話し手が話したいことを話し、それをわかってもらえたとき、そのやり取りを通して話し手の心に動きが起きます。私たちは話をし、人に聴いてもらうことを通じて自分の考えを吟味し、感情を感じることができるのです。それを続けることで、わからなかったことに気付いたり、感じ方や行動に変化が生まれたりします。こうした心の動きに意味があるのであって、話をすること自体に意味があるわけではないのです。

## 沈黙の受け止め方

沈黙は、大きく分けて2種類あります。

ひとつは、話し手が自分の考えや感情を吟味している沈黙です。話し手にとって、自分の気持ちや考えを吟味するために沈黙が必要なことがあります。ですから、この沈黙は大切な時間です。聴き手は深くゆったり呼吸をしながら、体をゆるめてじっと待ちましょう。

もうひとつの沈黙は、話し手が話せなくなっている沈黙です。例えば、気心の知れた人ではない、心の距離があまり近くない人と話をすることは難しいものです。話す内容が浮かばず、頭が真っ白になった経験は誰にだってあるでしょう。

なぜ話せなくなるかというと、何を言えば相手が自分のことを理解し受け入れてくれるかがわからず、「相手に拒否されたりバカにされたりするかもしれない。だからこのこともあのことも話してはいけない」と心が自動的にストップをかけるからです。

ですから、「こんな考えや感情を持っている自分のことを、人は好いてくれない」という信念と「人から好かれなければたまらない」という寂しさを心の底に抱えている人ほど、心のブレーキがかかるため自分のことを話すのが難しくなります。

傾聴の場面においても、話し手が話せないのは不安だからかもしれません。話したいことはあっても、それを話すと「バカにされたり、否定されたりするんじゃないか」「わかってもらえないんじゃないか」と感じているのです。そして、話すことが何も浮かばず困っているのかもしれません。

そのようなことが起きるのは、共感的な理解が十分に伝わっておらず、話し手を信頼して心を開くことができていないからです。もしくは話し手の心に辛すぎる感情が湧きあがってきそうになっていて、それを抑えようとしているからです。

話し手が話せなくなっているときは、先ほどまで話し手が話していた内容の特に大切なポイントを、短く繰り返して理解をしめしましょう。沈黙して困っている様子なら、その困惑している気持ちに対しても共感的に応答しましょう。

例えば、話し手が母親から理不尽に叱られた話をしているとします。途中で続きを話せなくなった話し手が沈黙した場合、「お母さんに理不尽に叱られたんですね」と、要点となる部分を返すのがひとつの方法です。

話し手が沈黙する直前、母親から理不尽に叱られたことに対する怒りを語っていたり、もしくは話し方や表情によって母親への怒りをありありと表現したりしていたなら、その怒りを受け止め、「お母さんに叱られて腹が立つんですね」と応答すると良いでしょう。

話し手が沈黙して困っている様子であれば、ただ黙って待っているのではなくそんな話し手を受け入れ、「話すことが浮かばず困っておられるのでしょうか」とか、「何を話せばいいか、わからなくなっておられますか」のように、穏やかな態度で応答しましょう。話し手が表現している困惑に対し、共感的に応答することが適切です。

# 2 話し手が本音を話さないとき



## 本音を話さないのには理由がある

この前の章では、話し手が沈黙したとき、それをどう理解し、どう対応するかをお伝えしました。

話し手が沈黙せずに話している場合でも、「どうも本音を話していない」とか、「言葉が表層的で大切なことを話していない」とか、「感情が感じられない」、と感じられることは珍しくありません。詳しく見ていきましょう。

傾聴とは、話したいことを何でも自由に話せる場を提供することです。自由に話ができるとき、私たちは自分にとって大切な本音を話し、話しながらさまざまな感情が湧き上がってくるものです。

しかし、本音はそう簡単に人に話せるものではありません。聴き手が気持ちを理解しよう、受け止めようと聴く気でいても、言いづらいことはあります。恥ずかしいことや辛いこともそうですし、「こうあるべきだ」という一般的な道徳観や価値観に反することは、特にそうです。

私は大学教員でしたが、心に重い苦しみを抱える学生も、本当の辛さを最初から素直に話すことはありませんでした。あくまで履修や単位などについての質問、という形で教職員のところに来ることが多いものです。

でも彼らの声にじっくり耳を傾けていると、苦しみが見えてきたり、「この学生は元気に見えて、本当はしんどいんじゃないか」と感じることがありました。

話し手が本当に話したいことを自由に話せていないサインとして、次のようなものがあります。

**●抽象的過ぎて、具体的なことがわからない**

「あることがあってから、眠れないんです」と話しながら、その「あること」が何なのかは語らない。その理由は、「あること」を話すと、「あること」に関する辛い感情が湧きそうになるからです。あるいは、「あること」について話すと悪く思われそうで、怖くて話せないのです。

**●切れ間なく話し続ける**

相づちも打てないほど、切れ間なく話し続ける人がいます。これは、沈黙になると辛すぎる感情が湧いてきそうになるからです。もしくは、「会話が途切れると批判的なことを言われるのではないか」とか、「聴き手が実は自分に関心を持っていないのではないか」と無意識のうちに恐れ、聴き手が言葉を発する隙を与えないようにしているのです。

**●話の内容がコロコロ変わる**

何かひとつのことについてじっくり語ると、それに関連する辛すぎる感情が湧いてきそうになる場合があります。過去に傷ついた経験が多い人は、どの話題についてもじっくりと語ることはできず、話がコロコロ変わります。

**●客観的な事実ばかりを話し、自分の感情は話さない**

自分の感情について語ると辛くなってしまい、事実ばかりを話して感情を話せないことがあります。

●**感情ばかりを話し、客観的な事実をほとんど話さない**

先ほどとは反対に、「腹が立つ」「イライラする」「悲しい」「楽しい」といった抽象的な感情は話すのですが、「なぜ腹が立つのか」「何にイライラするのか」「何が悲しいのか」という具体的なことを話さないケースです。具体的なことを話すと、辛すぎる感情が湧き上がりそうになるため、それを避けているときです。

例えば、親との間で何かが起きて「むなしい」「悲しい」などと口にしつつも、何が起きたかをあまり具体的には語らないときがあります。はっきり事細かく具体的に話すと、親を殺したいほどの憎しみが湧きそうになるため、それが怖くて、無意識のうちに具体的な話を避けているのかもしれません。

●**ポジティブで前向きなことばかりを話す**

ポジティブで前向きなことばかりを話すのは、辛い感情を避けたり聴き手に良く思われようとしているときです。

●**質問をする**

自分の思いを話すのが辛すぎるとき、聴き手に質問をすることがよくありますが、本当に答えを知りたいわけではありません。質問については次の第3章で詳しく学びます。

**●感情が表れない**

強い感情を感じるはずの内容でも、淡々とした様子で話す人がいます。「大学生のとき、自殺未遂をしたんです」とまるで他人事のように話すのがその例です。

**●話している内容にそぐわない感情表現をする**

感情が表れない場合と本質的には同じことですが、悲しい内容を笑いながら話すような場合です。話の内容と感情表現に矛盾があることは、意外に多いものです。

このように、自分の本音を正直に話せないことがあるのは当たり前だし、話せない理由があるのです。

## 本音を話さない話し手を傾聴するには

例

### 義父からの暴力

30代の女性が、うっすらと笑顔を浮かべて話しています。

「私ね、虐待家庭で育ったんです。義理の父親が暴力的な人で、いつも叩かれたので青あざが体中にありました。髪をひっぱって引きずられ、それで近所の家に飛び込んで泣き叫んだこともあって、でもすぐ父親に連れ戻されました。とうとう私と兄と母は夜逃げして、私は児童養護施設で育ったんです。ちょっとフツーの育ちじゃないでしょ？（ニコッ）」

このように、話し手が辛い話を笑顔で話したり、淡々と話したりするため、共感的に聴こうとしても辛さが伝わってこないことがあります。

第Ⅱ部第5章で学んだように、私たちの心には自己防衛機能があり、感情があまりに辛く受け止めきれないときには、自分でもわからないうちに感情を抑えつけ、感じられなくなります。

感情の抑圧が続くと、生きている実感がないとか、やる気のなさ、うつ症状、不安、心身症、パニック障害、怒りや悲しみの爆発など、あらゆる心と体の不調につながります。

このような状態で話をしようとしても、本当に大切なことを自由に話すことはできません。本音を話せていないときの話し方になります。

聴き手がそんな話し手を受け入れることなく「本音を話してください」「本当の気持ちを話してください」とプレッシャーをかけると、話し手には聴き手との関係が安全とは感じられなくなります。自由に、正直には話せなくなりますから、口を閉ざすか、相手が認めそうなことだけを選んで話すようになるでしょう。

## 傷は触るのではなくそっと包んでこそ癒える

「では、話し手の心の傷はどうやって治せばいいの？」と疑問に思うかもしれませんね。過去の辛い出来事や辛い気持ちについて話をさせ、気持ちを吐き出させようとする人もいます。

でも、考えてみましょう。皮膚にひどいすり傷を負ったとき、それをいじったり、触ったり、えぐったりしてはいけません。傷の周りを優しくそっと包んでおくと、皮膚は自己治癒力の働きで少しずつ治っていきます。

心の痛みも同じです。他人が何かをして治すものではなく、話し手の心の自己治癒力によって少しずつ癒えていくものです。そして自己治癒力の働きを促すのは、話し手のあり方をそのまま尊重し、話し手の気持ちをその人の身になって理解する、傾聴の人間関係です。

話し手にとって辛いことについては、「話をさせよう」「感情を感じさせよう」「吐き出させよう」「絵に描いて表現させよう」などとすると逆効果です。本人がみずから表現したいときに表現してもらい、それを受け止めることが助けになります。

突然の天災・人災に襲われた被害者の心のケアにおいても同じです。かつて、大地震の被災者たちのところに心のケアの専門家が派遣されたとき、地震が起きたときの様子や状況、今の気持ちなどについて話をさせようとすることがあったようです。

しかし近年になって、話をするよう促すことは被災者の心の立ち直りに逆効果であることがわかってきました。無理に感情を吐き出させようとすると、話し手はむしろ傷つきかねません。

例えば大きな地震の被災者が、まるで他人事のように淡々と「震災で妻と子どもを亡くしたんです」と語っているとします。

このようなときには、（そうなんだ。家族を亡くすことはどれほど辛いことだろう。でも辛すぎて、今はとても感じることができないんだな。それほど辛いんだな）と理解して、話し手のそのあり方を尊重し、語りについていくことが大切です。

そんな傾聴の人間関係において初めて、話し手は彼・彼女のペースで、少しずつ心のよろいを下ろし、語ることを通してマヒした感情を回復させることができるのです。

# 3 話し手が聴き手に質問するとき

## 質問のように見えて、質問ではない

傾聴しようとするとき、話し手が自分のことを語らず、聴き手に質問をすることがあります。まずわかっておくべき大切なことは、「傾聴の対話において、話し手の質問が純粋な質問であることはとても少ない」ということです。

純粋な質問とは、特定の知識や情報を尋ねるような質問です。あなたが知っている内容であれば、それを答えることで解決します。

例えば、「トイレはどこですか？」という質問は、トイレの場所を教えてあげれば解決します。「トイレに行きたいのに場所がわからず困っておられるんですね。それはお辛いでしょう」という〝共感的〟な応答は不要です。

しかし、話し手が自分にとって本当に大切なことを話す、傾聴の対話でなされる質問は、そのほとんどが純粋な質問ではありませんから、答えても解決しません。

例えば、話し手がこう尋ねたとします。「好きな異性にあんな手紙を書いて渡したけど、あんなことをしたのは悪かったでしょうか？　私は嫌われているでしょうか？」

これに対して、「どうでしょうね。私はその人じゃないからわかりませんけど……」とか、「それは普通の手紙だったと思いますよ。大丈夫だと思いますけど……」などと答えても話し手は本当には納得しませんし、解決にもなりません。トイレの例とは違い、何かの知識や情報を持たない話し手に対し、聴き手が教えてあげれば解決する、というものではないからです。

話し手が質問するときには、質問という形で、何かの感情や思いを婉曲に表現しているのです。ですから、何が表現されているのかを理解しようとするのが、傾聴するときの態度です。

話し手が自分のことを話さずに質問をするときには、沈黙したり、本音を言わなかったり、大切なことは語らず当たり障りのないことばかりを話したり、感情を見せず機械的に、淡々としか話さなかったりするときと本質的に同じことが起きています。話し手は何かの理由で、本当に話したいことを自由に話すことができていないのです。

先ほどの例に戻りましょう。話し手が「好きな異性にあんな手紙を書いて渡したけど、あんなことをしたのは悪かったでしょうか？　私は嫌われているでしょうか？」という質問によって表現しているのは、嫌われる恐れでしょう。ですからその理解を話し手に伝えるのが傾聴応答の基本です。

聴き手「嫌われたらどうしようかと、すごく不安なんでしょうか？」

話し手「そうなんですよ！　嫌われたら立ち直れないんじゃないかと思って……。でもね、私に気があるんじゃないかと思うふしもあるんですよ。先日ね、会社の帰り道で偶然その男性にばったり会って……（話が続く）」

**このように、話し手の気持ちを想像しながら、それを頭ではなく腹で（感情レベルで）、なるべく生々しく、ひしひし、ありありと感じ、話し手が質問によって表現していることを言葉にして返すことが大切です。**

## 質問に対する理解と応答のパターン

さらにいくつかの例を挙げて説明します。話し手が婉曲に表現していることをどう理解するか、またどのように言葉を返せばよいかについて、場合分けして考えていきましょう。

**●質問が何かの婉曲な表現となっている例1**

**話し手「どうすれば妻はわかってくれるんでしょうか？」**

話し手は、奥さんが話し手の求めるように行動してくれないことへの怒り、落胆、または寂しさを表現しているのかもしれません。もしそうと理解できれば、つぎのように返すことが共感的な応答になるでしょう。

**聴き手①「奥さまが賛成してくれないので、ショックだったんですね」**

**聴き手②「あなたがどれほど苦しんでおられるか、奥さまがわかっていないんですね」**

**聴き手③「奥さまには味方になってほしいのに、あなたを支えてくれないから腹が立つんですね」**

**●質問が何かの婉曲な表現となっている例2**

**話し手「私、こんなことを話すなんてヘンですよね？」**

まずは、話し手が質問を通して表現しているものが何か、理解しようとすることが大切です。

**《理解1》**

ひょっとすると、聴き手のあなたからヘンな人だと思われているんじゃないか、という不安かもしれません。次のように、共感的に応答すると良いでしょう

**聴き手①「私が○○さんのことをヘンだと思っているんじゃないかと気になっているんでしょうか？」**

**聴き手②「話しづらいことだと思います。ヘンだとは思いませんし、○○さんはきっとお辛かったことでしょう」**

**《理解2》**

「こんなに苦しむなんて自分は異常じゃないか」とまで感じるような、強い苦しみを表現しているのかもしれません。そう感じられた時には、こう返すと良いでしょう。

**聴き手「自分の苦しみは異常じゃないか、という感じもされているんでしょうか？」**

**《理解3》**

聴き手であるあなたに対して「私の気持ちを私の身になってわかってくれてはいない」という不満を表現しているのかもしれません。その場合、共感的な応答はつぎのようなものです。

**聴き手「私はヘンだと感じていないのですが、〇〇さんの悩みを十分にわかっていないように感じられるのでしょうか？」**

**聴き手「ヘンだと感じませんので、もしよければもっとお話を聴かせてほしいのですが、私がちゃんと理解しているかどうか心もとないのでしょうか？　それでちょっと話しづらい感じですか？」**

聴き手への不満や不信感が質問という形で表現されたパターンをお伝えしました。話し手にとって不安や強い苦しみ、相手への不満や不信感を直接伝えるのはとても難しいものです。だから、話し手は質問によって婉曲に表現しているのです。

## 話し手が聴き手について質問するとき

**話し手「お子さんはおられますか?」**

こう尋ねられた場合、日常のおしゃべりや、あまりよく知らない人と知り合う場であれば、自分のことを積極的に伝えてあげることが正解です。まずはあなたが心の壁をつくらずに話すことで、相手は安心でき、おしゃべりが続きます。

具体的には、あなたに子どもがいる場合、子どもは何歳(または何年生)で、男の子か女の子か、どんな性格か(「やんちゃで家の中はいつもうるさい」、「おとなしくて家でしょっちゅうゲームをしているから、もっと外で友だちと遊ばせたい」など)といったことを話すといいでしょう。

子どもがいない場合は、「子どもがほしいと思うけど、まだできない」とか、「自分はまだ独身で、いつか1人ぐらいほしいと思っている」などです。あなたについての情報を、あまり長々と話しすぎない範囲で伝えてあげるといいでしょう。

しかし、あなたが相手の話を聴こうとする場面では、違った考え方や応答が必要になります。

傾聴において、基本的に話し手の質問は聴き手の個人的なことや意見、過去の経験などを話し手が尋ねる場合でも、それは純粋な質問ではありません。「お子さんはおられますか？」と尋ねる話し手が、あなたに子どもがいるかどうかについて純粋に関心がある場合はとても少ないのです。

## 聴き手への質問に隠された本音

例えば、話し手の表情や声の感じから、何かいぶかしげな、または不満そうな様子で、聴き手であるあなたへの不信感が感じられるとします。

**《理解１　「話したら批判されるかもしれない」という不信感》**

質問は、「子育ての苦しみを正直に話すと、あなたに批判されるかもしれない」という不安の表現かもしれません。

そのように感じられた場合の、受容的な応答の例はつぎのようなものです。

**聴き手①「子育てのしんどい気持ちを話したら、私はそれを理解せず、○○さんのことを悪く思うかもしれない、とちょっと心配な感じがされたんですか?」**

**聴き手②「私は子育ての経験はありませんが、子育てはすごくしんどいこともたくさんあると思います。私なりに、○○さんの苦しい思いを○○さんの身になって理解したいです」**

**《理解2　「話してもわかってくれないだろう」という不信感》**

話し手が表現しているのは「この人が私の子育ての苦労について関心を持って聴いてくれるなら、わかってくれるなら話したいけど、わかってくれないのではないか」、という気持ちかもしれません。

もしそうだと感じられれば、こう応答しましょう。

**聴き手①「ええ、私も子育ての経験はありますが、(もしくは、いいえ、私は子どもがいないので)、子育ての苦労を私に話してもわかってもらえない、と感じるんでしょうか?」**

そして、カウンセリングの場面であれば、話し手が聴き手への不信感をさらに十分に話せるよう応答すると良いでしょう。例えばこう言うかもしれません。

**聴き手②「子育てでどれほど大変な思いをして来られたかを話しても、私は本当にはわからず、ピンと来ないかもしれない、本当に話してもわかってくれるかな、と感じられたのでしょうか？」**

または、プロのカウンセリングの場面ではなく、話し手の悩みに耳を傾けて心の支えになりたいと思う場面であれば、次のような応答も適切でしょう

**聴き手③「あなたの苦労について、私なりに理解したいので、もし良かったら差し支えないところだけでもお話いただけますか？」**

**《理解3　「話しているのにわかってくれていない」という不信感》**

話し手は、ここまで子育ての苦労を話してきたのに、あなたがその苦労を共感してわかってくれているとは感じられず、その思いが「お子さんはおられますか？」という質問で婉曲に表現されているのかもしれません。

そうだと感じられたときには、次のような応答が1つの選択肢となります。

**聴き手「○○さんは、ここまで苦しい思いを話してくださっているのに、私には○○さんのご苦労があまりわかっていないんじゃないかと感じられるのですか？」**

もしその理解が正しければ、話し手は「ええ、あなたはまだお若いから子育ての苦労ってわからないと思うし、わからなくても仕方ないわ」と返すかもしれません。

そして、あなたが理解している話の大切なポイントを返し、必要な修正や補足をしてもらうのも一つの方法でしょう。

**聴き手「ここまで○○さんのお気持ちについて私なりに理解したことをお伝えしますね。間違っていたり足りなかったりするところがあると思いますので直していただけますか？」**

具体的にどう理解したかについては、次のように伝えます。

**聴き手「お子さまを愛しておられるけど、かわいいと思えないことがあるし、すごく怒鳴ったり、叩いたりしてしまうことがある。そのご自身のことが許しがたいし、また、ご主人が○○さんの苦しみをわかりもしないしあまり助けてもくれず、そのイライラをいっそうお子さまにぶつけてしまって、止められず、それがとても辛い。私は○○さんのお話をそう理解したのですが、足りないところや正しくないところはないでしょうか？」**

また、話し手の苦しみがわかりづらいと感じるのであれば、こう尋ねてみましょう。

**聴き手「私なりに○○さんの子育てのしんどさをわかりたいと思っているのですが、さ**

**っきのところがよくわからないんです。そこをもう少し教えてもらってもいいですか？」**

ここまで、聴き手への質問について3つのパターンで応答の仕方を見てきました。

話し手から聴き手への不信感を感じたとき、話し手に対して「不信感を感じるのはおかしい」と否定すると、話し手はあなたにいっそう不信感を募らせます。反対に、話し手の不信感を理解し、そのままの話し手を受け入れることができると、話し手はあなたを信頼しやすくなります。

## 聴き手に話をさせようとする本当の理由

話し手が「あなたならどうしますか？」とか、「〜について ご存じですか？」というように聴き手に話をさせようとするものがあります。先ほどの「お子さまはおられますか？」という質問もその一例です。

話し手が聴き手の意見を参考にしようと尋ねることもあるでしょう。しかし実際には、聴き手の意見を教えても本当には役に立たないし、参考にもならないことがほとんどです。ほとんどの場合、誰かの意見によってものごとを決断できるわけではないからです。

聴き手に話をさせようとする本当の理由は、聴き手の意見を純粋に知りたいからではありません。

では、どんな理由があるのでしょう。その本当の理由として多いものは、「自分のことを安心して話せないから」、そして、「愛情欲求があるから」です。2つの理由について考察しましょう。

話し手が自分の考えや気持ちを話すことができないとき、間を埋める目的で質問をすることがあります。

まず、聴き手の共感的理解が足りなかったり、間違ったりしていると、話し手は連想が止まってしまい、話せなくなります。この場合は、対話を通じてちゃんと理解できるよう努めましょう。

または聴き手が話し手のことを共感的に、正しく理解している場合でも、応答が拙いために共感が話し手に感じられないと、話し手は自分の考えや気持ちを話すことができなくなります。

いずれの場合も、Ｐ２６１の例のように聴き手が自分なりに理解した要点を述べることで話し手に補足や修正してもらったり、「どうも理解できない」と感じた部分について話してもらったりする応答が適切となります。

また、話し手が自分の純粋な感情を知覚することを（無意識のうちに）怖がってしまうときがあります。すると、会話はあくまで表層的で当たり障りのない内容、理性的に話せる内容にとどまってしまい、感情を話すことができなくなります。そして、話し手は話すことができなくなり、質問をするようになります。

この場合は、「ちょっと話しづらいお気持ちですか？」とか、「話をすると辛くなりそうで話しづらい感じでしょうか？」のように、共感的かつ受容的に返すと良いでしょう。

## 満たされない愛情を求める

話し手が、聴き手に対して「もっと欲しい、もっと欲しい」と意見やアドバイスを求めることがあります。満たされえない愛情を求める、「甘えたい」という欲求が強くなったときにこうしたことが起こります。

話し手がその欲求から「聴き手のことを話してほしい、アドバイスが欲しい」と求めるとき、本当は聴き手についての情報が欲しいわけでもアドバイスが欲しいわけでもなく、「もっとあなたの関心が欲しい、愛情が欲しい」と願っているのです。

しかし、他人が本当にその欲求を満たすことはできません。その欲求は、「(親など)重要な人が自分を十分に愛してくれなかった、十分に温かい関心を注いでくれなかった」という愛情飢餓感によるものだからです。

私たちにできることは、話し手の気持ちをなるべく話し手の身になって共感的にわかろうとすることです。

それ以上のことができる場合、聴き手が進んでそうしてあげようと思うのなら、無理のない範囲で提供できることを提供すればいいと思います。しかし、「相手のために」と無理をしないように心がけましょう。無理をすると、聴き手が自分を犠牲にして憔悴したり、相手に対して腹が立ってきたりします。すると結局、相手のためにも聴き手のためにもなりません。

この章では、話し手から受ける質問について学びました。質問に応答するときの要点は、それ以外の発言について応答するときと同じです。「話し手はこの発言によって何を表現しているのだろう？」「私に何をわかってほしくて話しているのだろう？」と考え、話し手が表現していることをなるべく話し手の身になって想像して理解し、その理解を言葉で返すよう心がけましょう。

# 4

# 同じ話で対話が進まないとき

話し手が同じ内容を繰り返し、話が前に進まないことがあります。高齢者など記憶力が弱い人でもないのに、同じ話をグルグル繰り返し、聴いていると行き詰まりを感じるような場合です。なぜそうなるのでしょう？　また、どのように対応すれば良いのでしょうか？

## 「わかってもらえている」と実感できない

私たちには「自分を表現したい」と求める根本的な衝動があり、話すことで自分のことをわかってもらおうとします。ですから、「この人はわかってくれる」と感じると、もっと話したくなります。

対話が行き詰まってしまう原因として特に多いのは、「この人は私の言いたいことをわかっているのかな？」と話し手が疑問を感じているときです。わかってもらえていることが実感できないと、わかってもらおうとして同じ話題を繰り返します。

ですから、話し手が同じ内容を繰り返しているときには、話し手が言っていることの要点を言葉にして返しましょう。

**●話し手が伝えたいことを理解できていない対話例**

**話し手「夫が私の気持ちをわかってくれないのよ。どうして男性って気持ちがわからないのかしらね」**

**聴き手「男性は気持ちをわからないって思うのね」**

**話し手「ええ、今まで知り合った男性ってだいたいそうだわ。どうしてああなのかな。」**

**聴き手「今まで知り合った男性は気持ちがわからない人が多かったのね」**

**話し手「そうよ。どうして男性は気持ちがわからないんだと思う？」**

**聴き手「え、……うーん……。男性ってそういうものじゃないの？」**

話し手が本当に伝えたかったのは、「男性には気持ちがわからない」という一般論ではなく、彼女のご主人が彼女の気持ちをわかってくれない、ということです。ところが聴き手はそれがわかっていないので、「男性は気持ちをわからないって思うのね」と一般論として返しました。同じことが「今まで知り合った男性は気持ちがわからない人が多かったのね」でも繰り返されているため、話が深まらず堂々巡りになり、それ以上は話せなくなって、ついに「どうして男性は気持ちがわからないいんだと思う?」と質問をしています。

もし最初の応答、または2番目の応答で「ご主人が気持ちをわかってくれなくて寂しいのね(腹が立つのね)」のように返していれば、対話は堂々巡りせず、深まっていったでしょう。

同じ質問を繰り返している人について、不安を理解して思いやりを持って返したことで質問が止まったという実例をご紹介します(藤田潮著「『聴く』の本」より)。

例

## お金の不安を抱えていた祖母

祖母が脳疾患により物忘れがひどくなったので、介護施設に入れた。祖母のお見舞いに行くと、一つの話が終わるたびに、「この施設、お金が高そうね」「ここ……払った？」と繰り返し尋ねてくる。見舞いのたびにそうだ。

でも、ピンと来た。払ったかどうかを確認したいのではなく、若いころにお金で苦労した祖母は、「お金のことが心配。お金のことで孫たちに負担をかけたくない」と心配だったのだ。

そこでこう伝えた。「おばあちゃん、お金のことが心配なのね。迷惑をかけたら申し訳ないものね。でもお父さんがちゃんと銀行に払ったから大丈夫だし、誰にも迷惑をかけてないよ」。おばあちゃんの「払った？」はピタっとなくなった。

## 同じ話をしながら深まっていることもある

私のカウンセリングの来談者で、初回面接のときに自殺未遂の経験について話した人がいました。最初はひとごとのように淡々と事実を話していました。彼女はそれから、何度か自殺未遂について話すことがありましたが、話すたびに少しずつ、自殺を図ったころ、いかに辛く苦しい日々を生きていたか、その苦しみが私に伝わるような深刻な語りになっていきました。

そのように、同じ話題を繰り返してはいても、話し手は語るたびにより正直な思いを語るようになり、話が深まっていることもあります。話が繰り返されている場合でも、話し手のペースを尊重して傾聴に努めましょう。

# 5

# 「話し手を変えたい」と感じるとき



**傾聴とは、そのままの話し手を受け入れて大切に感じながら、話し手が表現していること、伝えたいことをなるべく話し手の身になってひしひし、ありありと想像して理解し、その理解を言葉で返す営みです。**

しかし、私たちの心にはしばしば、「話し手を変えたい」という思いが湧きます。話し手の考え方や感じ方を変えようと、アドバイスしたり、励ましたり、説得したりしたくなることがあります。

アドバイスや説得、励まし、叱ることが話し手への助けになることもあるでしょう。しかし、苦しみや悩みごとを語る話し手に対しては、それらは支えにも助けにもならないことがとても多いのです。

## 無理に変えようとすると逆効果になる

ある人気俳優は、17歳のときにお母さんが自死したそうです。彼はツイッターでその思いを綴っています。

俺が17歳の時に母親は自殺した。その日、寮生活をしていた俺に突然会いに来て「進路を今決めろ」と言い、別れ際に「ねぇ、私綺麗かな?」と聞いてきた。「実の息子に何言ってんや! 気色悪い。もう門限だから行くぞ」と言って車から降りると、母親は泣きながら笑っていた。それが最後の会話になった。

その日から俺は「なんであの時『綺麗やぞ、お袋』と言ってやらなかったのか?」「言ってたら死ななかったのか?」と苦しむことになった。喪失感、怒りや悲しみ、様々な感情をどう吐き出していいかわからず、俺はどんどん荒れていき喧嘩ばかりするようになった。今も最後の一言への後悔は消えていない。

家族や身近な人の自死に出会うと、そのことを昇華するには時間がかかる。当時の俺は「困ったことがあったら何でも言ってくれ」と友人知人から言われるのが辛くて仕方がなかった。「だったらお前お袋返してくれるのか?」そう言いたかった。「おう! ありがとうな」と平気な顔で答え自分の気持ちを隠した。

今思えばあの時、一人で充分に泣いたり、嘆いたり出来る時間があったら良かったと思う。寮生活で、親戚に預けられていた俺には居場所がなくそれができなかった。最近、有名人の自殺が続き悲しくて仕方がない。ショックを受けている仲間と話しているうちに自分の過去の想いも噴き出してきた。

自殺を受け入れることは本当に辛い。「こうすればよかった」と後悔が残り「なんで相談してくれなかったんだ!」と悔しさも湧く。受け入れていくプロセスも人それぞれだと思う。嘆きや悲しむ人に自分の良かれと思う励ましを押し付けないで欲しいなと俺は思う。悲しみは簡単に癒えない。俺もやっと少し。

この人気俳優にとって、「困ったことがあったら何でも言ってくれ」と親切に言われることさえ辛くて仕方がなかったのです。人々が善意から言ってくれているとわかるからこそ、「だったらお前、おふくろを返してくれるのか?」と文句を言うこともできず、本心を隠して元気に振る舞うしかなかったのです。

彼はどれほど孤独だったことでしょう。

私たちは、とても人に話せないほどの苦しみを抱えているとき、そのことをわかってもらえないだけで傷つき、いっそう孤立してしまうのです。

悩みごとを聴いているときにやってしまいがちな非共感的で非受容的な応答と、そう言われたときの話し手の本音について、いくつか典型的な例を挙げます。

**聴き手①「もっと気分をラクに持ってください」**

**話し手(そんなことを言われてラクになれるなら、とっくにそうしてるよ……)**

**聴き手②「もっと前向きに考えましょう」**

**話し手(前向きに考えるなんて無理だから苦しんでるんじゃないの!)**

**聴き手③「その人の気持ちもわかってあげてください」**

**話し手（それはそうだけど、私の気持ちはどうなるの!?）**

**聴き手④「あなただけが大変じゃないんですよ」**

**話し手（そんなこと言われなくてもわかってる。この人に私のしんどさを話すことはやめよう）**

**聴き手⑤「そんなに怒らないでください」**

**話し手（そう言われるとよけい腹が立ってきた！　もう話してやるものか！）**

**聴き手⑥「人を責めてばかりおられますが、あなたにも落ち度があるんじゃないですか？」**

**話し手（人を責めないと心が保てないから責めているのに！　この人には本音は言わず、適当に答えておこう）**

**聴き手⑦「黙っていないで話してください。安心していいですよ。」**

**話し手（そう言われて話せるならとっくに話しているよ！　この人はその気持ちもわからないで「話せ」とか「安心しろ」とか言ってくる。やっぱりこの人じゃ、ぼくの気持ちはわかりそうにない）**

## 話し手を変えたくなる理由

私たちが傾聴しようとしているときに、このようにアドバイスをしたりして、話し手の気持ちや見方、行動を変えたくなるのはなぜでしょう？　理由として、多いものを3つ挙げます。

### ●話し手を変えたくなる理由　1

・解決してあげられないと、話し手に無能だと思われてしまうようで不安

「話し手から評価されたい、好かれたい」と求めている場合です。この欲求は、人の評価や好意を過剰に求めずにいられない、聴き手自身の愛情飢餓感から生まれています。そのせいで、話し手の気持ちを理解し、じっくり受け止める心のゆとりを失っているのです。

●話し手を変えたくなる理由　2

・解決してあげられないと、自分が無力感を感じてしまう

「話し手の気持ちをラクにすることによって自己肯定感を高めたい、自分がこの世に存在していいと感じたい」と求めている場合です。この欲求の底には、聴き手自身の、そのままの自分を愛することができない苦しみが存在します。

また、聴き手にこのような思いが湧いているときは、話し手が感じている無力感の苦しみが聴き手にも伝わってきて、それが辛すぎて「話し手を変えたい」と思ってしまっているのかもしれません。

聴き手がそのままの自分を愛することのできない苦しみを強く持っているほど、話し手から伝わってくる無力感に耐えることができず、何とかしようとジタバタしてしまいます。そのため、話し手の苦しみを受け止めるゆとりが持てなくなります。

●話し手を変えたくなる理由　3

・「ものごとは正しい理屈や正論で解決するはずだ」という信念

「正しさ」にこだわるあまり、「正しさ」や「べき」では人の気持ちが取り残されてしまっ

て助けにならない、ということがわからなくなっている場合です。しばしば幼少期の傷つきが関連しており、しかもその傷つきに自分でははっきり気付いていません。

子どものときに親などの大人から「正しいこと」「べき」を押しつけられ、「言われた通りに感じ、考え、行動しなければ愛されない」と思いこんでしまった人は、その後の人生でも「いつも正しくなければならない」と頑なになります。

その頑なさの底には、「正しいこと」ができなかった自分自身への憎しみと、そのままの自分を愛し受け入れてはくれなかった大人への怒り、さらには、受け入れてもらえなかった悲しみや寂しさが潜んでいます。

自分で感じられているかどうかにかかわらず、それらの痛みが心の奥に強く残っている人ほど、正しさにこだわり、「正しくない」と見なした人を変えたくなります。

これら3つのパターンからわかるように、「話し手を変えたい」という思いは聴き手自身の苦しみが原因となっています。

しかしこの思いが強いほど、話し手の気持ちから乖離《かいり》してしまい、気持ちを理解し寄り添うことができなくなります。私たちは「お前を変えてやろう」と意気込まれると脅威を感じ、変えられないように心を固くします。

## まずは話し手を理解する

どんなに非現実的で非合理的な言動をする人でも、その人の世界観、解釈、信念からすれば、いつも理にかなった、もっともなことをしています。

話し手を正したくなったり反論したくなったりするのは、話し手について大切なことを理解できていないときです。話し手の心と状況を話し手の身になって理解したら、話し手のものの見方、感じ方、行動がもっともなものであり、反論やアドバイスでは解決しないことがわかります。

「話し手を変えたい」と思ってしまったときは、「自分は話し手の何が理解できていないんだろう」と考え、なるべく理解できるよう努めましょう。

# おわりに
## ～聴き手の成長について～

### 聴き手がもつ雰囲気

「この人に聴いてもらうとなぜか心が落ち着くし、もっと話したくなるし、話すと元気になる」と感じさせる聴き手がいます。一方で、「うん、うん」と話を聴いてはくれるのですが、なぜか「深く分かってもらった」とか「受け止めてもらった」とは感じられないし、何となく話しづらい、そんな聴き手もいます。いったい、何が違うのでしょう？

良い聴き手がもつ、一緒にいると落ち着けるような優しくどっしりした雰囲気は、次の5つの特徴から生まれるように思います。

### 良い聴き手の特徴 1

## 良い聴き手は、リラックスして腹が据わっており、話し手との心の壁があまりない。

聴き手の心に対人不安や完ぺき症の不安が強いほど、その不安は話し手に伝わるので、話し手は落ち着いて心を開くことができなくなります。「話し手から悪く思われたらどうしよう」とか「上手に聴かないといけない」という不安が少なく、落ち着いてリラックスしている聴き手には、話し手もリラックスして本音を話しやすくなります。

### 良い聴き手の特徴 2

## 良い聴き手は、自分自身の未解決の心の痛みや葛藤が高い程度に解決され癒されている。

人として成長すると、聴き手としても成長します。聴き手自身がもつ、心の苦しみや困難を乗り越えた経験、そしてさらに、深く癒され人として変容した足跡は、「気」となって醸し出されます。すると、話し手は落ち着いて話すことができ、心がラクになります。

良い聴き手の特徴 3

**良い聴き手は、自分の価値や有能さを感じるための援助はしない。話し手のありのままを尊重し、話し手の気持ちを話し手の身になって理解するゆとりがあるとともに、話し手の幸せを心から願っている。**

「自分は価値がない」「自分のことが好きになれない」、そして「人の役に立ったり人から評価されたりすることによって自分が価値ある人間だと感じたい、自分のことを認められるようになりたい」という気持ちがなく、ありのままの自分を愛している聴き手ほど、ありのままの話し手を受けいれる気持ちに自然となることができます。話し手の気持ちを話し手の身になって理解するゆとりも、話し手の幸せを心から願うゆとりも持っています。

良い聴き手の特徴 4

**良い聴き手は傾聴の技術が高いので、共感が話し手に伝わるし、話の邪魔をせず耳を傾けることができる。**

良い聴き手になるには、聴く技術がとても大切です。聴き手の技術が高ければ、話し手は「私に関心を持ってよく理解してくれている」と実感できます。そんな聞き手は話の流れを邪魔しないので、話し手は自由に話すことができます。それは理論も理解してこそ可能です。

良い聴き手の特徴　5

## 良い聴き手は深く正確に共感するための理論を、よく理解している。

理論によって、話し手の苦しみをより本人の身になって理解できます。理論がなければ「この人はコンプレックスが強いな」とか「自己中心的な人だな」「甘えの強い人だ」のようにしか思えません。これは聴き手がレッテルを貼っている状態です
「愛情の薄い親に育てられた」という話を聴きながら、親から愛されなかった悲しさや寂しさなどの感情をその人の身になって想像し感じるとき、「子どものころ、そのままの自分を親から否定された」という話し手の心の痛みが理解できます。同様に、自己中心的

にも思える主張をしている話し手の、そうせざるを得ない愛情飢餓感、孤独感、劣等感などの深い苦しみに思いをはせることができます。

これら5つの特徴は理想であり、すべてを完璧に備えている人はいないでしょう。ただ、これらの特徴がより高い程度にある人ほど、深く傾聴して人の支えになることができるし、人との関係がより共感的なものになります。

## カウンセラーにカウンセリングは必須

私は、カウンセリング、心理療法などプロの支援を20年以上受けながら、さらなる心の癒しと成長に取り組んでいます。癒しと成長に限界はなく、私たちはどこまでも成長できます。

そうした自分自身の経験と、カウンセラーを育てるトレーニングやプロ・カウンセラーを指導してきた経験から、カウンセラーおよびそれを目指す人が、腹をすえてカウンセリングを受けて自分自身の心の深い癒しと成長に取り組むことは必須だと感じます。

特に、カウンセラーを目指す人は助けを求めることが苦手だったり、自分が無理をしていても気づけなかったりする傾向があります。その傾向が高いほど、傾聴も人の援助も難しくなります。

そしてもちろん、プロのカウンセラーではなく一般の人が傾聴力を高めるためにも、カウンセリングでじっくり共感的に話を聴いてもらうことがとても役に立ちます。

心理カウンセリングは、決して異常な人や弱い人のためにあるものではなく、「もっと成長したい」と願うすべての人のためにあるのです。

## 私が初めてカウンセリングを受けたとき

あれは大学3年生のときでした。プロ・カウンセラーのいる学生相談室は、古いさびれた校舎の隅っこにありました。暗く人通りのない廊下を、私は一人で行っては戻り、行っては戻り、うろうろ、うろうろ……。

あぁ、どうしても決心がつかない……。

将来、カウンセラーになろうと決めていた私は、カウンセリングを教わっていた教授の「カウンセラーになる人は自分がカウンセリングを受けることが大切です」という言葉にしたがって、ついにカウンセリングを受ける決心をしたのでした。

でも、受けようと決心したつもりだったのに、どうしても学生相談室のドアを叩くことができません。学生相談室の前の廊下まで来たのに、どうしてもドアを叩くことができず、結局2時間ぐらいその前をうろうろして、あきらめました。挫折感いっぱいで校舎を後にしました。

それから半年ほどした寒い冬のこと。内気な私が好きだった女の子に電話をしてデートに誘ったところ、「ずぅーっと忙しいから」。みごとにフラれました。そのとき私は「よし、これを話すためにカウンセラーのところに行くぞ!」と再決断しました。

そうして、何とか予約を取る勇気を振り絞ることができました。「カウンセリングを受けるぞ!」と「決心」してから半年以上は経っていたと思います。カウンセリングを受けるということは、私にはそれほど恐ろしいことでした。

今思うと、このとき通ったカウンセラーは、それほど援助能力が高くありませんでした。しかし私は「自分の心に取り組むぞ」と決めていたので、毎週通いました。

そんなあるとき、ふと気がつきました。「そういえば、カウンセリングを受けるようになってから、とつぜんすごく寂しくなることが、なくなったなぁ」。当時、私は下宿生活をしており、ときおり、ひとりぼっちでとても寂しくなることがありました。

その先生のカウンセリングは2年間ほど受けました。今では通算20年を超えるでしょう。

あまり良くないカウンセラーも何人かいましたが、それはそれでいい勉強になりました。例えば、大学院生のとき女性にフラれて辛くなり、あるカウンセラーにこれを話したところ、「あなたはうつだから、医者に診てもらってうつの薬を出してもらう必要があります」と言われ、そのカウンセラーのところには二度と行きませんでした。代わりに年配のおばあさんカウンセラーのもとで話すと、薬を飲めとも、あれをしろともこれをしろとも言わず、私の話をよく聴いてくれました。すごく支えになりました。

## あなたに覚えておいていただきたいこと

本書の最後に、どうしてもお伝えしたい大切なことがあります。

本書を読むと、「子どもの心を傷つける親は悪い親だ」とか、「人の気持ちを傾聴できないのは悪いことだ」「共感的に耳を傾けるのは良いことで、すべての人がそうすべきだ」と私が言っているように感じられる方もいらっしゃるでしょう。

しかし、私はそうは思っていません。

本書でお伝えしたとおり、子どもは親の無条件の愛情を強烈に求め、それが得られないときにはとても不安になったり、寂しくなったり、傷ついたり、腹が立ったりします。それはとても辛いことです。また、私たちは自分のことを自分の身になって分かってほしいと願っており、そうしてもらえないと傷つきます。

そんな経験をするとき、私たちは自分のことを犠牲者だと感じます。

しかし、私たちは犠牲者ではありません。子どもにとって親から無条件に愛されないと感じるのはとても辛いことですが、その経験は、決してその子にとって「悪いこと」ではないのです。同様に、人から優しくされなかったり大切にされないと感じたりするのは、苦しく辛いことではありますが、「悪いこと」ではないのです。

私の心理援助を受けた多くの来談者の方が、それを腑に落ちて実感し、何十年も抱えて苦しんできた心の傷つきや苦しみから解放されて、いっそう充実し意味を感じられる人生を歩んでおられます。

「毒親」「機能不全の家庭」「アダルト・チルドレン」というような言葉が出回るようになりました。それらの概念の根本には「子どもは悪い親のかわいそうな犠牲者であり、苦しんで生きざるを得ない」という前提があります。しかし私のもとへ来た多くの方々はそれが真実ではないことを発見し、新しい人生を歩んでおられます。

誰の心にも傷つきがあります。あなたもご自身の心の痛みを根本的に解決しようと思われたときには、プロのカウンセラーなど専門家の支えを求め、解決に取り組まれることをお勧めしたいと思います。


本書をお読みくださいまして本当にありがとうございました。

あなたの前途にたくさんの幸せが訪れることを、心から願っています。

古宮 昇

# 文献

Heppner, P.P., Rogers, M.E., & Lee, L. A. (1990). Carl Rogers: Reflections on His Life. In "Pioneers in Counseling & Development: Personal and Professional Perspectives," (pp. 54-59). American Association for Counseling and Development.

Merabian, A. (1971). Silent messages. Belmont, CA: Wadsworth.

Rogers, C.R. (1951). Client-centered therapy. Houghton Mifflin.

Tolle, E. (1999). The power of now: A guide to spiritual enlightenment. London: Hodder and Stoughton, Ltd.
(邦訳:「さとりをひらくと人生はシンプルで楽になる」エックハルト・トール著、あさりみちこ訳、飯田史彦監修、徳間書店　２００２年)

藤田潮「『聴く』の本」(幻冬舎ルネッサンス新社　２００７年)

松居 直「ももたろう」(福音館書店　１９６５年)

# プロフィール

## 古宮昇（こみや・のぼる）

心理学博士。公認心理師・臨床心理士。米国州立ミズーリ大学コロンビア校より心理学博士号(PhD.)を取得。米国にて、州立児童相談所、精神科病棟などで心理カウンセラーとして勤務し、州立ミズーリ大学心理学部で教鞭を執る。日本に帰国後は、心療内科医院および大学の学生カウンセリング・ルームのカウンセラー、大阪経済大学人間科学部教授を経て、現在は神戸にてカウンセリング・ルーム輝代表

一生使える！　プロカウンセラーの
# 傾聴の基本

2020年10月19日　初版発行
2024年 4 月15日　9刷発行

著　者　古宮 昇
発行者　野村直克
発行所　総合法令出版株式会社
〒103-0001 東京都中央区日本橋小伝馬町 15-18
EDGE 小伝馬町ビル 9 階
電話　03-5623-5121
印刷・製本　中央精版印刷株式会社

落丁・乱丁本はお取替えいたします。

ISBN 978-4-86280-766-3
総合法令出版ホームページ　http://www.horei.com/